ちくま学芸文庫

システム分析入門

齊藤芳正

筑摩書房

はじめに

「この先，どういう道を進めばよいのか？」
「どんなタイプの車を買ったらよいのか？」
「工場の製造設備を更新すべきか，それとも空調機を更新すべきか？」
「どういった政策を推し進めればよいのか？」

「システム分析」とは，このような「何をなすべきなのか」，つまり，「What to do?」といった意思決定の場に直面した時に適用すべき有用な方法なのである.

本書は，その方法を分かりやすくお話しするものであり，そのため，小難しい理論や難解な計算は極力，排し，その考え方を端的に述べることによってその姿を浮き彫りにしていきたいと考えている.

お話しするまでもなく，意思決定という行為は身近なもので，たいてい，誰もが，何度でも経験することであるが，例えば，政策決定から始まって，経済・産業活動，市区町村の運営，個人の暮らし等にいたるまでの世間を見渡してみると，これまで必ずしも上手く意思決定がなされてきたとは言えず，また，特に，やり直しが利きにくい場合が今後も多くあるということを考えると，意思決定を上手くやる方法を知ったり，改めて見直してみるということは有意

義ではないだろうか. 是非, 諸賢の知見の一つに加えてほしいと思う次第である.

とは言っても, システム分析は何も筆者が考え出したわけではなく, 実は, 1960年頃から米国で用い出されたもので別に新しくもないし, システム分析についての書物はすでに何冊も著され, 紹介されているのである. ではなぜ, 今さら, そのような古くからある知見について敢えて著そうとするのかというと, これまでのシステム分析に関する書物は難しそうに書かれており, 必ずしも十分に理解されていないために上手く適用されなかったのか, あるいは, システム分析が専門視されて普及しなかったために多くの人達に知られていなかったからなのか, 世の中で多くの間違った意思決定がなされているのを目の当たりにしてきたからであり, その不具合を少しでも無くすため, 広く世の中に「システム分析」を分かりやすく喧伝して多くの人達に身に付けていただき, 軽易に用いて意思決定に役立ててもらいたいと思い立ったからである.

ここに, 読み進まれる前に考えてほしい二つの例題を示すことにする. 例題1は, 共に部品を製造するといった「同質」の機能を果たすシステム案の中からいずれを選択すべきかという場合を扱っており, 例題2は, 部品の製造と, 空調といった「異質」の機能を果たすシステム案の中からどちらを選択すべきかという場合を扱っている.

【例題1】　製造設備の選択問題

　貴方は，ある部品を製造する下請けの町工場の主であるとしよう．ある時，設置している10台の製造設備を更新しようと考え，製造能力が高いが値段も高いA社製にするのか，製造能力は低いが値段は安いB社製にするのか，どちらの設備にするのがよいか決めようとしているとする．貴兄ならばどのように考えて意思決定をされるだろうか．

【例題2】　製造設備の更新か空調設備の更新かの選択問題

　例題1と同様に，貴方は，ある部品を製造する下請けの町工場の主である．例題1の分析結果に基づいて，老朽化した現有の製造設備の更新のためにA社製設備7台を購入しようとしたところ，社内から，それよりも設置している10台の空調設備が頻繁に故障するのでその方を更新してほしいとの強い意見が出されたため，いずれを選択したらよいのか決めようとしているとする．貴兄ならばどのように考えて意思決定をされるだろうか．

　なぜ，冒頭からこのような例題を持ち出すのかと言う
と，本論においてこれらの例題にシステム分析を適用して
その方法について説明するが，その際，読者自身がこれら
の問題に直面したとして，どのような事を，どのように考
えて結論を出すのか，問題意識を持って自分なりに思考を
巡らせながら読み進めていただこうと考えたからで，そう
することで自分の考えとシステム分析の方法とを対比する
ことができることからその違いが明らかになり，システム
分析という方法がより深く理解できると考えたからであ
る．

　なお，システム分析の思考の過程を鮮明にするために簡
略化した例題を取り上げていることをお断りしておく．

　本論では，先の例題を取り扱いながら次のような順序で
お話ししていく．

　第1章　システム分析の意義
　　第1節　システム分析の有用性

　第1章では，社会一般には，システム分析を適用すべき意思決定問題が広くどこにでも存在することを示してシステム分析の有用性をお話しするとともに，これまでにおいて踏まれてきた意思決定の仕方について紹介し，気付き難い落とし穴について説明する．この章を読まれることで，システム分析の意義について十分理解されるだろう．

　第2章では，システム分析において多用される基本的な費用効果分析という技法を用いたシステム分析の手順を示した後，直面する意思決定問題に対してその手順をどのように適用していけばよいのかについてお話しする．そのため，先に示した特徴的な二つの例題を持ち出し，例題1においては，各手順ごと，まず，その内容を説明し，それに引き続いて，例題への手順の当てはめ方を具体的に示すという運び方で順々と進め，一連の手順全体の流れを説明する．その後，例題2について，例題1と重複する手順の説

明は省いて，例題1と同様に手順を追って例題に適用した場合について具体的にお話しする．この章を読まれることによって，費用効果分析によるシステム分析の方法を理解していただけるだろう．

　第3章では，システム分析がどのようにして芽生え，そして一つの方法として形作られていったのか，また，我が国でもさまざまな部署で用いられるようになっていったが，どういった経緯で持ち込まれることになったのかについて紹介する．この章を読まれれば，新しい方法というものは問題に直面してその解決に取り組んだ時に産まれ出るようで，その一般化，汎用化の努力によって花開くものであることに改めて気付かされるだろう．まさに，「必要は発明の母」と言われるわけに浸ってほしいと思うのである．

　ぜひ，システム分析という，まさに「宝刀」を自家薬籠中のものにして意思決定を上手くやっていっていただきたいと願う次第である．

目　次

システム分析入門

第1章　システム分析の意義

第1節　システム分析の有用性

　ここで改めてお話しするまでもなく，世の中，誰でも，どこにおいても，日常茶飯事のごとく「何をなすべきか？」の意思決定の連続ではないだろうか．

　ここで意思決定と言っても，その内容は，次のように大きく二つに分けられると思う．一つは，何時に家を出ようかとか，電車に乗り込んだらどこに座ろうかなどといった，意思決定の結果がその場限りで終わってしまうような場合と，もう一つは，どんな家庭にしようかとか，どういう製造設備を買うかなどという，意思決定の結果が永く影響するような，いわゆる「システム」と称する仕組みを手にしようとする場合の二つで，本書で対象とするのは後者の場合である．

　そのような意思決定は，「はじめに」において述べたように，どの進路を選べば人生に最大の効用をもたらすのか，どんな製造設備を買えば会社にとって最大の便益をもたらすのか，どんな政策を採れば国民に最善の幸福をもたらすのかなどというように，個人の身の周りから企業，地域，国，そして国際レベルにいたるまでの様々な分野におい

て，ある効果を得るために何をすれば良いのかと思案する際に頻繁になされるのではないだろうか．

　その時，所望の効果をもたらすシステムの候補は数多く考え出されるだろうが，投入し得る人，物，金そして時間などといった資源は限られているために，何かを選べば何かを諦めなければならないし，また，やり直すことは難しいため，そこに意思決定の悩みが生じることになるわけである．資源がタップリとあれば何度でもやり直せるので何ら迷うことはなくて意思決定には困らないが，そのようなことは希で，何を選んだかで行く末が大方，決まってしまうことから，意思決定はとても大きな問題になるのである．意思決定が上手くなされず，その選択を誤り，行動してしまうと，有限である資源を無駄に消費してしまうことはもちろん，ひいては，他に振り向けたかった，本来，やるべきであったことがなされず，社会全体として二重の損失になってしまうことになる．

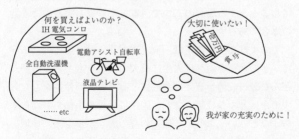

そうなると、どうしても、限られた資源、つまり、一定の費用で出来る限り高い効果が得られるシステムを選ぼうとか、あるいは、できるだけ少ない費用で所望の効果が得られるシステムを選ぼうと考えることから、投入される「費用」と、それによってもたらされる「効果」の観点から望ましいシステムを求める方法についての知見が必要になってくるわけで、これからお話しするシステム分析は、それに合致する有用な方法なのである。

身の周りはもちろんのこと、社会一般、国際社会等という広々とした大海において、いずれに進むべきかとの意思決定を助けてくれる大切な羅針盤ともなり得るシステム分析の方法を身に付けることは極めて有意義なことであると確信する次第である。

なお、システム分析について話される時、学術的には、得られるものを効用、便益、効果などと言ったり、また、費やされるものについては資源とか投資、費用などというようにさまざまな言い方がなされるが、以下、本書では、得られるものは「効果」、費やされるものは「費用」と統一して表すことにする。

第2節 従来の意思決定において陥りやすい落とし穴

1 例題1の場合

　システム分析の方法について述べる前に，ここでまず，例題1の場面に直面したとして，ふだん，踏まれると思われる意思決定の流れについて見てみよう．

　例題1は，

　　「貴方は，ある部品を製造する下請けの町工場の主であるとしよう．ある時，設置している10台の製造設備を更新しようと考え，製造能力が高いが値段も高いA社製にするのか，製造能力は低いが値段は安いB社製にするのか，どちらの会社の設備にするのがよいか決めようとしているとする．貴兄ならばどのように考えて決心されるだろうか．」

というものであった．

　この場合，恐らく，まずはA社，B社の各製造設備の製造能力，故障の程度，取得にかかる経費くらいを聞き，また，概観等を確かめ，限りある手持ちの資金とを比べながら会社を決めてしまうのではないだろうか．

　このような意思決定の仕方で懸念されるのは次のような点である．

　　① 製造設備の選択をすれば問題は解決するのか．

② どのような目標を達成するために更新をするの
か.
③ いつまで使うのか考えたか.
④ どんな尺度で測って比較し, 意思決定するのか.
⑤ 他の選択肢はないのか.
⑥ 必要になる経費はどの範囲まで考えたのか.
⑦ 意思決定に際して社員, 同業者等の意見は聞いた
か.

以下, なぜ, これらが懸念されるのかを説明しよう.
① 製造設備の選択をすれば問題は解決するのか
これは, 他に考えなければならないもっと大切な問題は
ないのかという懸念である. つまり, 真の問題は何なのか
確認したのかということである.

よくある話に, なぜか製造設備に囚われてしまい, 初め
から製造設備を更新することにしてしまっていたというこ
とがある. よくよく考えてみたら, その製造設備で製作す
る品物の需要が先細りになっており, ひょっとして, パタ
ッとなくなり, いずれ製造設備は無用になってしまうかも
しれなかったとか, あるいは, 職場の環境改善をする必要
があったなどと気付き, 実は真の問題は別にあったという
ことがある. 解決すべき問題を間違え, 会社を決めて購入
してしまえば資金もなくなってしまい, 取り返しがつかな
いことになって工場主として悔いるばかりである.

② どのような目標を達成するために更新をするのか

　これは，製造設備を更新してどのような目標を達成しようとしているのかということで，例えば，製造設備があまりにも旧くなったから新しくしたいのか，製造能力が低いからアップしたいのか，それとも人員を削減したいから操作人員数が少ない設備に替えたいのかなど，どうしたいのかということである．古ければ塗装して見栄えよくすれば済むし，人員を削減したいのであれば，設備の数を減らしてもよいわけである．設定する目標次第でとり得る方策は異なるし，最悪，しなくてもよい更新に無駄な金を使うことになってしまうのである．

③ いつまで使うのか考えたか

　これは，更新した製造設備をいつまで使う心算りなのかということである．先に述べたように数年後には部品の発注がなくなり，無用の長物になってしまわないか，ひょっとして近々，別の品物の製作が必要になってくることはないかということである．

④ どんな尺度で測って比較し，意思決定するのか

　これは，良し悪しを何で表して比較するのかということで，従来の決め方にあったような項目について考えたとすれば，製造能力，故障率，価格等，さまざまなモノサシで測ろうとしているのはよいとしても，何を重視するのか明確ではなさそうで，モノサシごとに異なる会社の製造設備

が優れているという結果が出たらどのようにして決定する
のかということになる．それよりも，果たしてそれだけで
よかったのか，ひょっとして操作人数は今より少なくした
いといった気持ちがあったのに，操作人数というモノサシ
で測らなくてよかったのかということもある．因みに，も
し，そうであれば，例えば操作人数が今よりも多く必要に
なる A 社製は候補にはならず，意思決定の選択肢は B 社
製一つになり，問題としていた意思決定はしなくてもよい
ということになってしまうのである．

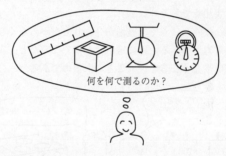

何を何で測るのか？

⑤　他の選択肢はないのか

　これは，良し悪しを決める尺度を設定したものの，その
尺度の値を得ることを可能にする案としてとり得る選択肢
を出し尽くしたのかということである．例えば，製造設備
を買い替えることばかりに囚われず，今のものを引き続き
修理しながら使い続けるという選択肢もあるのではない
か，あるいは，今の製造設備を大改修して能力アップさせ

るということも考えられるはずである.

⑥　必要になる経費はどの範囲まで考えたのか

　これは，今後，負担することになる費用を十分に考えたのかということである．使用電圧は今のままでよいと思い込んでいたら切り換えが必要になるとか，製造設備が大きくなるために工場の拡張をしなければならなくなる，あるいは，高性能であるために定期整備費が高額になるなどと，経費がことのほか多くかかってしまうということがあるので要注意である.

　逆に，故障しにくくて整備が今よりもかからなくなるとか，省電力型であるために電気代が安くなるなど，実質的に費用は少なくなるということもあるのである.

200 V 用電源の
工事で出費か

火力コントロールが容易

100 V　200 V

IH 電気コンロ

⑦　意思決定に際して社員，同業者等の意見は聞いたか

　これは，製造設備を決める時に皆んなの意見を聞いたのかということである．使うのは工具であるのに工場主の考えだけで決めてしまい，工具が気付いていたのに後になって改善して欲しい不具合がいくつも出てくることもあり得

るのである．また，現に使っている同業者がどのような感じを持っているのかなどについて聞いておけば，いろいろな問題点が分かり，意思決定する上で参考になるのではないだろうか．やはり，意見はできるだけ聞いておくべきである．

2　例題2の場合

では次に，例題2の場合ではどうであろうか．ここでも，例題2の場面に直面したとして，たいてい，踏まれると思われる意思決定の流れについて見てみよう．

例題2は，

「例題1と同様に，貴方は，ある部品を製造する下請けの町工場の主である．例題1の分析結果に基づいて，老朽化した現有の製造設備の更新のためにA社製設備7台を購入しようとしたところ，工具から，それよりも設置している10台の空調設備が頻繁に故障するのでその方を更新してほしいとの強い意見が出されたため，いずれを選択したらよいのか決めようとしているとする．貴兄ならばどのように考えて意思決定をされるだろうか．」

というものであった．

この場合，多分，空調設備を更新したとしても少しばかり快適になるくらいで，それよりも，製造設備を更新した方が製造能力のアップに繋がると考え，製造設備の更新を

選んでしまうのではないだろうか.

このような意思決定の仕方で懸念されるのは次のような点である.

① 空調設備が製造に及ぼす影響について考えたか.

② 後々,負担する費用に思いを馳せたか.

③ 比較の仕方は良いか.

以下,なぜ,これらが懸念されるのか説明しよう.

① 空調設備が製造に及ぼす影響について考えたか

空調設備というと単に工場内を涼しくしたり,温かくして快適にするくらいで,製造には特に影響しないのではと考えられがちである.しかし,そうではなくて,それによって,高温多湿とか低温が製造設備の電子部品の働きに影響を及ぼして誤作動が発生するのを防いだり,職場環境が良くなって工員の勤務意欲を向上させるとともに工員の人為的ミスを低下させることになり,結果的に製造設備の誤作動も不良品の発生数も少なくして製造数の減少を防ぐことに繋がることにもなるのである.時には,製造が追い付かない場合でも工員は快適な職場で気持ちよく残業に応えてくれるのではないだろうか.

② 後々,負担する費用に思いを馳せたか

職場環境の整備をしないままにしておいて製造設備ばかりに目を向けていれば,工員はやる気をなくし,ひいては退職することになるのではないだろうか.そうなれば,退

職手当の支払い，新規採用とその人の教育に関わる経費といった臨時の支出が必要となるし，あるいは，人手不足で高額の派遣社員を雇用することになるとその費用は無視できないくらいの出費になるのである．そこまで考えることが必要で，もちろん，それらを新規製造設備案の費用に加えなければならなくなる．

③　比較の仕方はよいか

　①と関係してくるが，製造と快適さという，表面上，もたらす効果が異なるシステムを比較するのに適したモノサシを使ったのかということである．先入観に囚われず，また，片手落ちとなることなく，やはり，目的に合致した，すべての代替案に公平で，統一的な視点で見比べることが大切ではないだろうか．

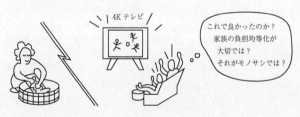

第2章　システム分析の方法

第1節　システム分析の一般的手順

　これまで述べてきたように，たいてい，やりがちな方法について見たところでは多くの懸念があったわけで，これに対して費用効果分析という手法によるシステム分析の方法では，それらの懸念を払拭するべく，次のような手順を踏む．

1　問題の定式化
2　達成したいと望む目標の明確化
3　目標の達成度合いを測定する尺度の決定
4　代替案の列挙
5　判定基準の決定
6　モデルの作成
7　効果の予測
8　費用の見積
9　代替案の比較
10　感度分析
11　未考慮要素についての考察
12　勧告案の決定
13　報告

　以下，この手順に従い，例題の場合におけるシステム分析について，主として参考文献［1］を参考にしながら説明しよう．

　ここで，手順の12と13について疑問を持たれたかもしれないが，実は，システム分析は，その誕生の経緯からして幾らかの専門的知識や経験等を必要とするため，通常，当該事項についての意思決定者ではなく，いわゆる，システムアナリストと称するシステム分析の専門家が行うものであり，その人が意思決定者にその結論を勧告するという形をとるのである．そして，意思決定者はシステム分析の結果とともにその他の観点からの意見も含めて総合的に考えて決心することになるのである．つまり，システム分析者は意思決定者を補佐するという立場から意見具申をするわけであり，実は，これがシステム分析の地位・役割なのである．

　このようなことから，手順12の「勧告案の決定」と，手順13の意思決定者への「報告」という段階があるわけで，

　もし，意思決定者である本人自身がシステム分析を行え
ば，決定した勧告案が決定事項となり，報告も記録に留め
ることになる．

　なお，本稿では意思決定者となる工場の主自身がシステ
ム分析を行うという設定をしていることから手順の「12
勧告案の決定」と「13　報告」はそぐわない内容となるが，
本来の姿を説明するという意味から，それらの手順の説明
については，工場の主とは異なるシステムアナリストが行
うという，設定とは違った形で述べることをお断りしてお
く．

第2節　同質の機能を果たすシステム案の中から選択する場合

1　問題の定式化

(1) 手順内容

　ここでは，解くべき問題を取り違えないようにするために，

・どういう目的で
・どういった問題を
・どのような場で

考えればよいのかを明らかにする．

【目的を確かめる】

　何か行動するからには「目的」があるはずで，その行動が正しいか否かは目的に適っているかどうかで決まることになる．したがって，何か問題を感じて対策を講じようと行動する場合，最上位の目的に照らし合わせてその正しさを確認しなければならない．最上位でなければならないというのは次の理由による．例えば，販売会社を例にとれば，販売部からすれば在庫が多い方が品切れにならなくて済むので良く，一方，管理部からすれば在庫が多いと保管費用がかかるので少ない方がよいということになる．つま

り，各部の中間目的を考えていては適正な在庫の量は決まらないのであって，したがって，この場合は，例えば収益最大化という会社の最上位の目的の観点から考えなくてはならないことになる．

　そのため，まずは，「今，感じている問題」を眺めるには分析者がどういう地位に立たなければならないのかをハッキリさせる．地位には，会社での肩書のように与えられたりして明らかなものと，家庭での自分のように改めて考えないと気付かないものとがあるが，問題なのは気付かないものである．それについては次のように考える．人はたいてい，家庭，世間，会社等という幾つもの組織に属しているわけで，それについて改めて考えてみるのである．そして，その

組織図を思い浮かべ，その中での位置を確かめる

のである．会社でもハッキリとは意識していないが親睦会等という組織にも属しており，本来の肩書の地位だけではなく，例えば一会員であるという地位にもあることに気付くのではないだろうか．このようにして幾つかの地位が浮かび上がってきたところで，「今，感じている問題」との関わりを考えながらそれを眺めるのに相応しい地位を定めるのである．

　次はその地位に伴う果たすべき役割，つまり，「最上位の目的」を設定することになるが，これについても，会社で

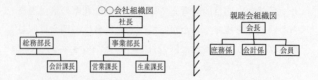

の職位機能図に示されるように明らかなものと，親として
の務めのように明瞭ではないものがある．ここでも明瞭で
はないものが問題であり，これについては，改めて，その
地位から見渡すべき空間的，時間的範囲に目をやり，普段，
行っている事柄を思い出しながら，その地位にある自分に
しかできない事柄は何か，あるいは逆に，その地位にない
人にはできない事柄は何かと考えて家族の幸福等といった
最上位の目的を案出する．一般的には，最上位の目的は

> 組織が目指す方向や，今，自分が生かされている状
> 態を維持したり，よりよくするために必要な事柄に
> ついて考える

と見出されるものである．これが難しい時は，後記の②に
あるように，「今，感じている問題」を解決する目的から遡
っていって最上位の目的を見出すようにするとよい．

【真の問題を探る】

　次に真の問題を確かめるということで，周りの状態はキ
チンと定まっていて，その問題だけを解決すればよいの

か，つまり，最上位の目的を果たすために前もって決めて
おかなければならない真の問題が他にないのかということ
である．

　例えば，今，賃貸住宅に住んでいるが，定年も間近にな
り，また，子供も大きくなって手狭であり，新居を構えよ
うと思い，マンションにするのか一戸建てにするのか考え
始めたとしよう．しかし，終の棲家をどこの地にするのか
が決まっているのかということである．ひょっとして，夫
は長閑な郊外での暮らしを考えているのに，妻や子は今の
街中に住むつもりでいるのかもしれないのである．どんな
所に住むのか，その地域が決まっていなければ，マンショ
ンと一戸建てのいずれにするのかを考えても無駄になるわ
けである．妻子を説得することになるのかもしれないし，
あるいは，親子離れて住むことになるのかなど，今後，ど
ういう生活をすることになるのか，これが真の問題になる
のである．

　すなわち，前段階で定めておかなくてはならないものが
決まっていないのに，後段階で決めるものを先に定めても

無意味になるおそれが大であり，やはり，

　　前もって定めておくべきことがすべて決まっている
　　かどうか確かめる

ことが必要である．

　このため，手順1では，まず，「今，感じている問題」を
取り巻く体系全体の構造を明らかにし，その中に定まって
いない，もっと大事な問題が無いかどうかを確かめるので
ある．
　では，どのようにして体系全体の構造を明らかにするの
かというと，世の中を見ると，会社の組織を例にとっても
分かるように，工務係が補給課から部品を受け取り，輸送
課の車両に乗り，営業部が受注した修理を行い，会計課が
代金を受領し，会社が収益を上げるなどというように，

　　各部署においてさまざまな要素が有機的に結合して
　　その部署の目的が達成され，また，その部署と他の
　　要素や部署とが有機的に結合してその上位の部署の
　　中間目的を達成し，さらに同様にして，より上位の
　　部署の目的を達成していくという階層的な構造をな
　　している

ものであり，それを踏まえて次の図2-1のような最上位の

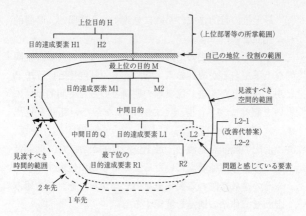

図 2-1　体系構造図

目的を核として体系構造図というものを作り上げるのである.

　この図 2-1 を作る手順は次のとおりである.

① 　最上位の目的達成のために見渡すべき空間的, 時間的な範囲を明確にする.

② 　前記の範囲を見渡し, 最上位の目的から, 今, 問題と感じている関係要素にいたるまでの中間に位置する目的やその達成に関わる要素を見出しながら, それらを組み合わせて体系の構造を展開する.

以下, これらについて述べる.

① 最上位の目的達成のために見渡すべき空間的，時間的な範囲を明確にする．

最上位の目的達成のために関係すると考えられる，空間的な上下左右とか内外の人，物，部署，制度等というモノとか，在職とか存続，保有等の期間といった時間的事柄に思いを馳せながら，見渡さなければならない範囲を見出す．

② 前記の範囲を見渡し，最上位の目的から，今，問題と感じている関係要素にいたるまでの中間に位置する目的やその達成に関わる要素を見出しながら，それらを組み合わせて体系の構造を展開する．

今，感じている問題を解決する目的は何のためか，また，それは何のためかなどと遡って上位の目的を考えるか，それとも最上位の目的から順々に下って，その達成のために必要な人とか，機器・制度のようなモノなどといった目的達成要素と，そして，完遂されるべき下位の中間目的は何かなどと考え，さらに続けていって，それぞれの目的について，その達成のために必要な，最下位となる関係要素まで見い出すとともに，問題と感じている関係要素まで繋ぎ上げるのである．

目的達成要素については，それが生まれ出る時から没するまでの時間的変化の状態を追記する．つまり，設備とか従業員等といった存在するものについては，発生消滅過程という，揺りカゴから墓場までを考えるのである．

　なお，自分が完遂すべき目的が，より上位の目的に適っていることを確認したり，さらに広く見渡したい，あるいは，別の見方をしてみたいなどとなれば，必要に応じて，より上位のレベルまで遡ってみることである．

　この「体系構造図」の各段階についてみると，そこではたとえば，妻が賃貸住宅の台所で食事を作るというように，誰が，何のために，何を，いつ，どこで，どのようにして，という5W1Hの事柄が定められ，それに従って実行され，体系全体の目的が達成されるようになっているのである．
　そこで，次に，この体系を見渡し，各段階ごとに，「今，感じている問題」を解決するために定まっていることが必要であるにも拘わらず，

その上位の段階のところで定まっていない5W1Hの事柄がないかどうか

を確かめる，つまり，「真の問題」を探るのである．もし，途中に定まっていない事柄があれば，いくら下位の問題に精魂をかたむけて解決してもその未定の事柄の動き方でそれまでの努力が水泡に帰すこともあるし，もちろん，最上位の目的も達成されなくなることは大いにあり得るわけである．砂上の楼閣を築いてはならない．重ねて言うが，途中に定まっていない事柄があれば，それが先に解決してお

かなければならない「真の問題」であり，そうではなくて，すべての事柄が定まっていれば「今，感じている問題」が「真の問題」となるのである．

先に話した「マンションか一戸建てか」の例で言えば次のようになる．

夫の立場は一家の主で，最上位の目的は幸福な暮らしを守ることであり，見渡す範囲は，空間的には家族に始まり，会社，学校，病院，近傍の公共・商業施設等々で，時間的には子供は進学，就職，結婚まで，主は定年退職し，その後再就職をし，夫婦で年金生活を送る頃までと，各生活施設については休業とか移転等までを含めることになるかもしれない．

現在，家族は夫婦と子供二人の４人で賃貸住宅に住み，夫は会社員，妻はパート主婦，子供は中・高生である．居住地は市街地で，交通便利，公共・商業施設，病院も近くにあり，生活環境は充実している．妻の家事で，時に病院のお世話になりながらも健康は維持され，生活基盤は支えられている．そのお陰で会社勤めも通学も続けられ，一家団欒の夕食，休みともなれば車で行楽地に出かけ，時には家族旅行をするなど，皆，将来設計を胸に描きながら平穏な日々を送っている．一家の主としては，この幸福な暮らしを守らなければならない．ひいては地域社会に溶け込んで寄与していかねばならない．

このような時，手狭になった賃貸住宅を考えて出てきた

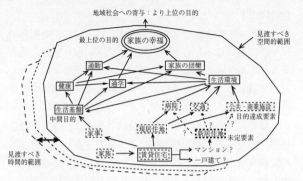

［目的達成要素の時間的変化］
・　夫：定年退職，再就職，年金生活
・　妻：パート退職，年金生活
・　子供：進学，就職，結婚
・　各施設：廃業，廃線，移転

図2-2　某家の体系構造図

のが「マンションか一戸建てか」の家屋取得問題であったとしよう．この状況を体系構造図に表せば図2-2のようになるだろう．

　図2-2から，マンションか一戸建てのいずれかに決めたとしても，今の居住地が変わるようなことになれば生活環境が変わることになり，今の通勤・通学はおろか，将来の再就職，進学，そして，老後の生活などに困るようになるおそれがあるわけで，つまり，家屋取得問題を解決する前に居住地をどこにするのかを決めておくことが必要であり，それが今の真の問題になるということになる．

【検討範囲】

　次には「どのような場」で検討すればよいのかを明らか
にすることになる．確かに，体系構造図に取り上げた範囲
をすべて取り込めばよさそうだが，考える範囲が広くなり
過ぎて複雑になってしまい，分析が難しく，時にはできな
くなってしまう．したがって，それを避けるために，シス
テム構築に大きく影響しない部分は外し，取り扱う範囲を
極力，限定して問題を解きやすくするのである．では，ど
の範囲を考えればよいかということになるが，体系構造図
を見渡し，次の図2-3のように

　　**真の問題によって達成できなくなる目的を見出し，
　　そこにぶら下がる空間的，時間的な範囲に限定すれ
　　ばよい**

ことになる．

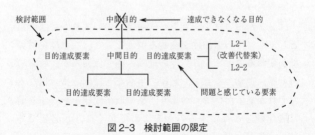

図2-3　検討範囲の限定

つまり，広く見渡し，考えやすいように狭く絞って問題

詳察

世間一般

大観

を解こうというわけである.

　先の家屋取得問題の例で言えば,まずは居住地の決定が真の問題であり,それが解決されないと生活環境の維持という中間目的が達成されなくなるということから,図2-4にあるように,それにぶら下がる家族を始めとして病院,交通,公共・商業施設といった要素が含まれる空間的範囲について,かつ,各施設等の廃業とか移転といった将来的

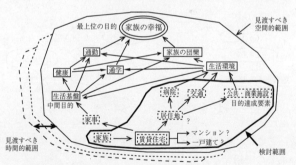

[目的達成要素の時間的変化]
・　夫：定年退職,再就職,年金生活
・　妻：パート退職,年金生活
・　子供：進学,就職,結婚
・　各施設：廃業,廃線,移転

図2-4　居住地決定問題の検討範囲の限定

展望が見渡せる時間的範囲までを検討範囲として考えることになる.

もちろん，真の問題が感じていた問題とは異なった場合には，必要に応じて体系構造図を描き直さなければならない. 実は，システム分析はスンナリと進むようなものではなく，以下の手順についても同様だが，

> やり直すことは常態であり，また，各手順の間を何度も行きつ戻りつ，時には最初からやり直すこともあり得る

ことを覚悟しなければならない.

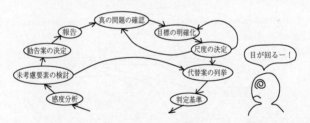

ここに，真の問題を見出した良い事例が参考文献 [1] にあるので紹介しよう.

1952年度に米国議会は約35億ドルを空軍基地の建設費として承認し，ランド・コーポレーション（研究機関）は，海外の空軍基地を最小のコストで獲得し，建設し，維持する方法について意見を求められた. 担当となったシステム

アナリストは，最初，それを本質的に局地的な兵站上の問題であると考えた．しかし，数カ月の検討の中で，空軍全体との関係でその問題を考えるようになり，真の問題は一海外空軍基地の兵站上の問題ではなくて，国の戦略空軍兵力をどこに，どのように配置し，それらの兵力をどのように動かすのかという前段階の問題が定まった後で考えるべき問題であるという結論に達した．つまり，一基地の構成，配置についての決定をその基地の費用の節約のみで行うのは賢明ではないことを明らかにしたのである．この結果は，戦略空軍爆撃機をアメリカ大陸に置き，海外の施設を給油と着陸のためにのみ使用するという空軍の決定に大いに貢献した．最初は，単なる費用最小化の問題と考えられていたが，最後には，アメリカ合衆国の戦略抑止政策の研究となったのである．

◆参考事項〜問題とは

　参考までに述べると，問題を発見するということは，次の図 2-5 に示すように

　　「現状」と理想の状態である「目標」とのギャップを
　　見つける

ことなのである．（参考文献 [2]）

　たとえば，使用している製造設備の理想状態はと言うと，故障することなく，製造し続けられる状態にあること

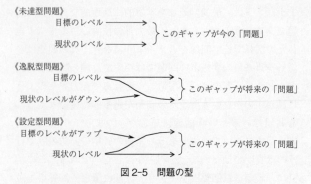

《未達型問題》

目標のレベル ⟶
現状のレベル ⟶ ⎫ このギャップが今の「問題」

《逸脱型問題》

目標のレベル ⟶
現状のレベルがダウン ⟶ ⎫ このギャップが将来の「問題」

《設定型問題》

目標のレベルがアップ ⟶
現状のレベル ⟶ ⎫ このギャップが将来の「問題」

図 2-5 問題の型

であり，これが目標となるが，現在，故障が多くて製造が
途切れがちであるとすれば，これが「今の『問題』」，つま
り，「未達型問題」となる．

　このようにすでにギャップがある場合もあれば，将来，
形成されていくギャップもある．現在は何ともないが，い
ずれ老朽化して故障が頻発するようになるという場合が
「将来の「問題」」，つまり，「逸脱型問題」となる．さらに，
将来，発注量が大幅に増えそうであれば製造設備の能力ア
ップが必要になるわけで，これは新たな目標が設けられる
ということから「設定型問題」と言われる「将来の「問題」」
となるわけである．

　「現状」は現在の状態なので，別に説明するまでもないだ
ろうが，「目標」となると，これは適当に置くわけにはい
かず，何を設定すればよいのか，導き出すことが必要にな

る.

　したがって, その人の地位, 役割等から考えて,「向かう べき方向」とか「望ましい状態」等といった, 在るべき姿 である「目標」を見出すのである. 前提的に, どういう理 由, どんな考えがあってそのように言えるのか, 出発点を 明確にし, それから, こう思うから結論として「目標」は こうなる, という具合に三段論法的に目標を導き出さなけ ればならないのである.

(2) 例題の場合

　例題では, 最初から製造設備の選択をすることになって いるが, まずは, これまでの経緯を辿り, なぜ, そうする ようになってしまったのか考え直してみる.

【目的を確かめる】

　そこで立ち返って自分の立場を考えてみる. 一工場の主 であることは分かるが, さて, 自分の役割, つまり, 最上 位の目的はとなると明確ではないことから, 問題としてい た「選択をする」ことから逆行的に考えていって最上位の 目的を見出すことにする.

　鳥になって工場を俯瞰し, 全体はおろか, その周辺にま で考えを及ぼすという視点から広く見渡してみるのであ る. そして, 工場の施設, 工具そして工場主の家族, 工場 周辺の環境, 工具・工場主の健康等といった, 自分を取り 巻く関連先とその関係等を思い浮かべながら「定性的分

析」を進め，

- 問題とした製造設備は空調の効いた工場内に設置されている，
- 問題とした製造設備は工具によって操作される，
- 工具は健康が維持され，技能が必要である，
- これらによって部品の製造が可能な体制が整っている，
- それは製造が維持されるために必要不可欠である，
- 製造を維持するには材料も，電気・ガスの供給も確保されなければならない，云々

などと工場を取り巻いている体系が成り立っている状況を具体化するのである．

　　次いで

- なぜ，製造を維持するのかというと，受注した部品を製造して納入しなければならないからである，
- それによって代金を受け取ることができるのである，
- 代金は設備の保守，給料の支払い，材料の仕入れ等に使うために必要である，
- それによって工場を存続させることができる，

さらに，

- 工場が存続することで，親会社は，自社からの部品を使っての製品の組立てと製品のＰＲ，そして，修理体制の確立等と相まって世間に製品を普及させるという目的を果たすことになるのだろう，

と自己の範囲外の上の目的まで思いを馳せ，元に戻って，

・では,「工場の存続」が工場主としての役割であり, こ
　　れが最上位の目的になるのか,
と考えがまとまり,「最上位の目的」に辿り着くのである.

　言うまでもなく「定性的分析」とは事柄の意義とか関係
性, あるいは, 展望とか趨勢等といった疑問点を, 数理的
ではなく論理的に解明するための技法であり, その方法
は,

　　　一般常識とか経験則, 史実等をもとに, 疑問点に関
　　　係する要因として何があり, それらが何にどのよう
　　　な影響を及ぼし, そして, どのような結果をもたら
　　　すのかなどと推察しながら論証を進めて展開してい
　　　き, 結論を得る

というものである. 展開の仕方は, 今の例のように, 影響
を及ぼす先の人や物, 地域等, 空間的にランダムに拡げて
ゆくのもよいし, 時間軸で芋ズル式に追ってゆくのもよ
く, これらを併用すればよい.

【真の問題を探る】
　次いで, これまでの思考を踏まえながら, 中間の目的や,
その達成要素等を繋ぎ合わせていって次の図 2-6 のよう
な, ある年の体系構造図を描き上げるのである. なお, 目
的達成要素の時間的変化の状態については, たとえば, 製

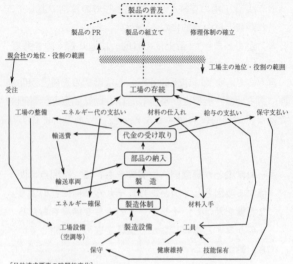

製品の普及

製品のPR　　製品の組立て　　修理体制の確立

親会社の地位・役割の範囲

受注

工場主の地位・役割の範囲

工場の存続

工場の整備　エネルギー代の支払い　材料の仕入れ　給与の支払い　保守支払い

輸送費

代金の受け取り

部品の納入

輸送車両

製　造

エネルギー確保

製造体制

材料入手

工場設備
（空調等）

製造設備

工具

保守

健康維持　技能保有

［目的達成要素の時間的変化］

・　工具：採用，教育，健康診断，退職．
・　製造設備：取得，運用，維持・整備，廃棄．
・　工場設備：運用，維持・整備，廃棄．
・　輸送車両：運用，維持・整備，廃棄，等々．

　　　　　　　は目的事項を示す．

図 2-6　体系構造図

造設備に関しては取得，運用，保守，廃棄といった過程，推移等を取り上げるようにする．

　これにより，さまざまな行動は「工場の存続」という最上位の目的の達成のためであることが浮かび上がってきたわけである．

　なお，最上位の目的としては，当然，「最大利益追求」，

「工場の拡充・発展」といった目的もあり得るわけだが，ここでは「工場の存続」として話を進める．もちろん，この最上位の目的の捉え方が違う場合には，以降の分析の方向が大きく変わることになる．

　この体系構造図を作成するには，まずは思い付くままに，関係する事柄を思い浮かべながら関連先や事柄を列挙し，次にはそれを題材として，次の図 2-7 のような立面図とか，平面図，俯瞰図等といった状況図を描き，それを見ながら組み立てて展開していくようにするとよい．

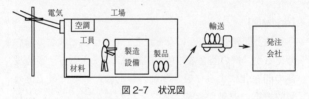

図 2-7　状況図

　次に，体系構造図に目を遣りながら，最上位の目的から始めて，各段階ごとについて，製造設備を選択するのに根拠となる事柄が定まっているのかと確かめるのである．部品の納入方法は今のように工場から直接納入することでよいのか，受注はこれまでどおりにあるのかなどと追っていく．もしここで，製造した部品の輸送代が極めて多額になることから，親会社の中に製造設備を設置し直して製造する方がよいのではなどと疑問に感じれば，検討対象の製造設備を使わなくなるおそれもあることから設備の選択は問

題にはならなくなってしまい，真の問題は，製造場所はいずこがよいのかという「製造場所の選択問題」となるし，あるいは，受注は確約されたものではなく，工場主が勝手にあるものと思い込んでいたともなれば，真の問題は，受注をいかに維持すればよいのかという「受注維持の問題」となるわけである．

　以上のように見直してきたものの，ここでは，従来どおりの体制が確認され，やはり，「どのような後継設備にすればよいのか」が真の問題になることが確かめられたとしよう．

【検討範囲】

　目的と問題が明らかになったところで，次に検討の場を考えるが，次の図 2-8 の体系構造図にあるとおり，製造設備の問題化によって製造体制の目的のところで最上位の目的達成の連鎖が途絶えることになるので，そこにぶら下がる，図の太枠線で囲んだ部分を検討範囲とするのである．

　つまり，空間的には，要素としては設備と保守，工場，そして工具までの範囲とするのである．また，時間的には，目的達成要素の時間的変化にあるように，設備の設置から運転，製造，保守，廃棄といった場面と，工具の採用，教育，健康診断，退職といった事柄についてまで考える必要があるが，ここでは切りのよい，耐用年数としてよく持ち出される 10 年間を考えることにする．

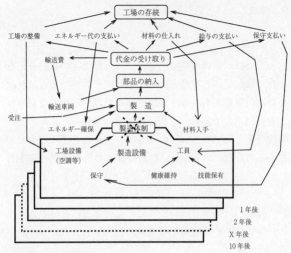

[目的達成要素の時間的変化]
・ 工具：採用，教育，健康診断，退職，
・ 製造設備：取得，運用，整備・修理，廃棄．

図 2-8 体系構造図における検討範囲

　以上のように考えた結果，今後，10 年間に渡って「工場を存続」させるためにはどのような後継設備が望ましいのか，それを設備についてはその設置から運転，製造，保守，廃棄といった場面を，工具については採用，教育，健康診断，退職といった事柄までを考えて決定することを問題とした．

2 達成したいと望む目標の明確化

(1) 手順内容

　ここでは，前の手順で明らかにした最上位の目的を果たすために，手にしようとしているシステムができなければならない事柄，もたらさなければならない理想的な状態などを見出すのである．そのためには，当該システムがその構成要素として含まれている目的の達成に必要な能力は何であるのかに思いを馳せ，計画作成時の構成要素（5W1H）の

　　　「誰が」「何を」，「いつまでに」，「どこに」，「どのように」という視点で考える

ようにすると，具体的な形に表現できるものである．この時，当該目的の段階で見出せない場合には，一段また一段と，その上位の目的に考えを及ぼして目標を探し出すのである．ただし，あまり上の目的にまで足を伸ばすと考える範囲が広くなって曖昧になり，具体的な目標設定が難しくなってしまうので，できる限り下位の目的の段階で考え出すようにする．目標が明確になることで，次の手順においてどんなことを可能にするシステム案を列挙すればよいのか考えやすくなるのである．

(2) 例題の場合

　例題では，最上位の目的は「工場の存続」であるが，このことから分析対象のシステムが何を達成しなければならないかと考えても暗中模索であり，それよりも，そのシステムが構成要素となっている目的「製造体制」の段階から考えた方が見出しやすいのではないだろうか．それに従って考えれば，システムが部品の製造ができるように体制を整えるためにはどうなればよいのかということになるが，まだ具体的な目標を設定することは難しいようである．そのため，一つ上の目的にまで考えを及ぼし，「製造」する目的について考えてみると，それは納品のためであることから，それを可能にする「製造」のための「製造体制」としては「受注した数量の部品（What）を，納期（When）までに製造できること」が必要なはずで，これが達成目標となるのである．

3　目標の達成度合いを測定する尺度の決定

(1) 手順内容

　ここでは，システムが目標を達成する度合い，つまり，システムがもたらす効果をどんなモノサシでもって測ればよいのか，その尺度を明らかにする．

　測るものと言えば，たいてい，数量の多寡とか時間の長短等であり，その観点から考えてみるのである．数量について言えば，走行距離とか搭載重量もあれば，処理件数と

か所要隊力，誤差等といったものがあり，また，時間に関して言えば，最高速度とか所要時間等といったものがある．

尺度を挙げる際，初めから完璧を期さず，断片的，部分的に表現してみることである．その後，それらを組み合わせたり，言い換えたりして，できる限り簡潔な，速度とか距離等といったような

一次元的な形にまとめ上げる

のである．

どうしても幾つもの尺度が浮かび上がる場合，

各尺度に対する重視度を見出し，それで重み付けして総合化した尺度を作る

という方法がある．たとえば，妻を選ぶ尺度として見映えと家事能力の二つを考えたとして，それぞれ，2対3の重視度とした場合，総合化した尺度である良妻度を次のようにするのである．

良妻度＝2×見映え＋3×家事能力

重視度を見出すには，関係者の意見を集約することになるだろうが，一つは「AHP」という技法もあるし，二つには「デルファイ法」という方法もあるので，これらの詳細については当該書物を参考にしてほしい．

また,

重視する尺度一つと, 補足尺度とするその他の尺度
に分け, 補足尺度の最低レベルを超えているかどう
かフルイに掛け, 残ったシステムを対象にしてそれ
らを重視する尺度で測る

という方法もある.

　最初は, 安全性とか労働意欲等といった定性的な項目が
思い浮かぶかもしれないが, それを基にして定量的な表現
に言い換えられるものを考え出すのである. それには,

その項目が満足されたらどんな定量的事象が発生す
るのか, あるいは, 満たされなければどのような定
量的事態を引き起こすのかと考える

とよいだろう. たとえば, 安全性は, それが欠ければ事故
が起きやすくなることから事故件数で表せるし, また, 労
働意欲は, あれば残業も厭わなくなってドンドンと案件を

こなすことから業務処理件数で測れるだろうし，あるいは，寸暇を惜しんで仕事に励むことから休暇取得日数でも測ることができるわけである．

　まずは，理想的な達成状態を表現してみることである．どんなことがどのようにできればよいのか，それを定性的に分析し，文章化してみると具体的になってくるものである．頭の中でイメージしているだけでは混乱するだけであり，なかなか，クッキリとは浮かび上がらないものである．

　たとえば，軍事分野で抑止力という言葉が持ち出されるが，説明するまでもなく，これは，相手方からの攻撃を未然に阻止する力のことを言うのだが，その力の程度を測るモノサシとして何が適切なのかを考える場合，次のようになる．

　戦争は，相手方を簡単に潰せると判断した時には容易に始めるものである．しかし，攻撃したら猛反撃に遭い，自分達の損害が甚大となるかもしれないと考えれば戦争に踏み切れなくなり，攻撃する意思を失うものである．したがって，相手方に攻撃する意思を持たせない抑止力を持とう

としたら，戦争に踏み切れないほどの甚大な損害を相手に与えることが肝要で，そのためには，相手方が攻撃（第一撃）をしてきた時に自分達ができる限り多く残存できるようにし，反撃（第二撃）して相手方に甚大な損害を与えられることが必要となるわけで，残存するには，相手の攻撃を迎え撃つとともに，反撃兵力を多数保有し，防護シェルターに入れたり，広く分散させたり，隠したり，また，囮を置いたりするなど，防衛網をくぐり抜けてきた相手の攻撃による損耗を少なくする策を採らなければならなくなる，等々というように具体化していくのである．

　　抑止力＝相手方に攻撃する意思を持たせない
　　　　　←反撃して相手方に損害を多く与える
　　　　　←反撃できるほどに自分達が相手方の第一撃から
　　　　　　多く残存する
　　　　　←防衛力で相手方を減殺するとともに，攻撃兵力
　　　　　　を多く保有したり，防護シェルターを構築した
　　　　　　り，分散・隠蔽に努めたり，囮で相手方の攻撃
　　　　　　を無効化する

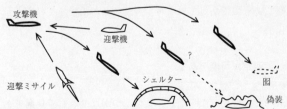

攻撃機　　　迎撃機　　　？　　　囮
迎撃ミサイル　　シェルター　　　偽装

このように考えてきて，この経緯を，目標である「抑止力」から下の方に見ていって最初に定量化できて，測定できるものがあればそれを尺度とすればよいのである．この場合，「相手方に損害を多く与える」度合いについては，相手方の位置や防護等の状況が明確ではないことから損害見積が困難で，測定することは難しく，結局，この場合は，測定可能な「反撃できるほどに自分達が相手方の第一撃から多く残存する」度合いが抑止力の程度を測るモノサシとして妥当であることになる．つまり，残存すればするほど，反撃力が大きくなり，すなわち，抑止力の程度を表すことになるのである．

なお，出来上がりの尺度は，その概念が分かる，つまり，速いとか多いなどと，それが

どんな意味を持っているのか解釈できる

ことが必要で，ただ単に繋ぎ合わせただけであってはならないし，また，快適性，安心感等のような，実際に測定が難しいものであってはならず，速度とか距離等というように

測定が可能である

ものでなければならない．この二つが尺度として具備すべ

き条件となる.

　なお, 拙著の参考文献 [3] には, 尺度について述べているのでそれも参考にされることをお薦めする.

(2) 例題の場合

　例題では, 達成目標は「受注した数量の部品を, 納期までに製造できること」であった. これはある期間内にある数の部品を造るということで, つまり, 「製造速度」となる. しかし, では, 製造設備のカタログデータに示されている製造速度でよいのかというとそれではダメなのである. というのは, それはたとえば故障という事象について考えていないからである. 実状を考えれば次の図 2-9 のように, 稼働—故障—修復とか, 定期整備といった製造できない期間が何度か生起するはずで, そういう状況を考えての「製造速度」でなければならないのである. 確かに, 「製造速度」=「目標達成度」とはならないが, 製造速度が速ければ速いほど, 納期までに間に合わせられる可能性が高まり, 目標の達成度に比例することから, これを尺度とするのである.

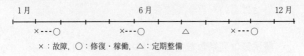

図 2-9　製造設備の年間状況

　となると, どれくらいの期間を考えればよいのかということになるが, 実際には, 故障の頻度とか, 修復に要する

時間を考慮して決めることになるだろう．つまり，平均故障間隔とか平均修復期間を基にして設定することが必要になるだろう．しかし，ここでは，従来からの経験からして，1カ月の期間では故障—修復—稼働といった事態があったりなかったりするが，一年以内であれば，何度か故障—修復—稼働が起こり得るものとして，尺度とする「製造速度」を具体的に言い換えて，「年間当たりの製造量」を尺度として話を進める．

4　代替案の列挙

(1) 手順内容

【代替案の列挙】

　ここでは，目標を達成することができる手段として考え得るシステムを，手順1で明らかにした検討の場となる，見渡すべき空間的範囲と，時間的な長径を念頭に置いて案出する．その際，システム実現の可能性はまずは度外視し，幅広く思いを巡らして探し出して列挙することが大切で，それらを検討した後，不可能なシステムであれば，それを外せばよい．言うまでもなく，

　　　解決策は列挙した代替案の中にしか存在しない

ので，この手順では特に知恵を働かせ，脳漿を振り絞って考え出さなければならない．山頂にいたるには幾つかの山

道もあるが，空からパラシュートとかヘリコプターで降り
ることもできるのである．頭を柔軟にして考えることであ
る．

　案出に際しては，ブレイン・ストーミングとKJ法が役
に立つと思う．ブレイン・ストーミングとは，さまざまな
考えを，頭の中に正に嵐を起こして溢れ出させるという方
法であり，自由気儘に意見を並べ出すことである．そし
て，その意見を帰納・演繹的に幾つかの知恵にまとめ上げ
ながら体系化していくのだが，その方法がKJ法である．
　たとえば，「使い終えたストッキングの活用方法」という
テーマを設定したとして，まずはブレイン・ストーミング
で，小項目として「切ってハタキにする」，「紐として使
う」，「靴磨きに使う」などという断片的な意見を出すので
ある．
　次にKJ法を用いて，「紐として使う」，「靴磨きに使う」
から帰納的に中項目として「そのまま使う方法」とまとめ，
次には逆に，この中項目から演繹的に小項目として「スポ
ンジ代わりにする」という新たな方法を考え出すのであ
る．一方，小項目「切ってハタキにする」は中項目「加工
して使う」の分類に入れ，これを基にして演繹的に小項目
として何か新しい意見を考え出すのである．このようにし
てさまざまな意見をドンドンと拡げていき，次の図2-10
のようにまとめていくわけである．
　つまり，

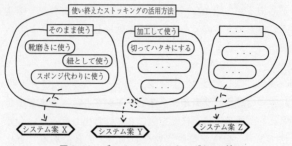

図2-10　ブレイン・ストーミングとKJ法

　多くの人がいろいろな意見を出し合い，それらを分
解・結合し，あるいは，帰納・演繹させながらさま
ざまなシステムの代替案を生み出すようにする

のである．なお，ブレイン・ストーミングとKJ法の細部
については，当該書物を参考にして欲しい．

　また，代替案を考える際，

　「誰が」「何を」「いつ」「どこに」「どのように」等と
いった事柄までを考えて挙げる

ようにすると，案出する幅が広がり，さまざまな具体的な
代替案が思い付くようになるものである．
　例えば，「誰が」を考えると，自分が行うこともあれば，
他の人に任せるという代替案が考えられるし，「いつ」を考

えると，今すぐに取りかかることもあれば，当面は我慢して先送りにするという代替案も考えられるのである．

　さらに，「何ができればよいのか」を起点にして，そのために必要な機能の細部を見出し，

　　その細部機能の組み合わせを考えていく

という方法もある．例えば，移動しながら敵の戦車を撃破できるシステムとして何があるのかと辿れば，ヘリコプターに対戦車ミサイルを装備した対戦車ヘリもあるが，これについては高価であることから，多用途ヘリに対戦車ミサイルを携帯した兵員を数名搭乗させるという案も考えられる．つまり，高速移動と戦車の撃破という二つの細部機能を組み合わせたのである．ちなみに，対戦車ヘリコプターは操縦者と射手の2名しか搭乗できず，用途は限られるが，多用途ヘリであれば，通常は人員や物資の輸送にも使えるなど，まさに用途は広く，別の効果が期待できるのである．

【特性分析】

　代替案を一通り列挙したところで行うことは，その特性分析である．それは，

　　効果と費用の観点から，各代替案が有する，他と違った特別の性質を見出して明らかにする

ことである．ここで，今，荷物運搬用にトラックを買おう
として，候補に挙がった大型車と小型車という二つの車種
の中から「年間の荷物運搬量」を効果として選ぼうとして
いる「車種選択問題」を設けてその一例を示すが，次の表
2-1 のような特性表を作成するのである．これらの特性が
各代替案の真価を示すことになる．

表 2-1　特性表（一部）

代替案	特　　　　性	
	効　果　面	費　用　面
大型車	・積載量が多い	・定期整備費が高い ・燃費が悪い
小型車	・積載量が少ない	・定期整備費が安い ・燃費が良い

この特性分析の目的は，

　　　各代替案の狙い，持ち味，意義，セールスポイント
　　　等を鮮明にして各々の違いをハッキリさせ，その姿
　　　を浮き彫りにし，具体的に認識できるようにする

ことであり，代替案として取りあげる価値があるかどうか
を見定める大切な分析であると思っている．同じような効
果しかなければ集約し，検討する代替案の数を減らした
り，また，取りあげたものの，打ち上げ花火的な内容で実
体が見えにくいものは省いてしまうなど，代替案を精選す
る意味もあるのである．

　また，後で説明するように，各代替案をモデルというも
ので評価するが，ここで特性を明らかにしておくことで，
各代替案の違いがモデルの出力結果に現れるように，モデ
ルの作成根拠となるシナリオに取り込みやすくなるのであ
る．

　特性を取りあげるには，やはり，まずは表2-1にあるよ
うに大型車と小型車といった

**　同種のものを見比べると見出しやすくなる**

だろう．時には異種のモノを眺めていて気づくことがある
かもしれないし，代替案そのものの機能に見入っていて感
じ取ることもあるだろう．
　また，

**　メリットとかデメリットと感じる点から探ると見出
　しやすい**

場合もある．例えば，荷台について考えたところ，大型車
は荷台が高いために積載卸下時間が長くなることが分か
り，かたや，小型車は荷台が低いために積載卸下時間は短
いことが分かったということから，表2-1は次の表2-2の
ようになる．つまり，荷台の高低は運搬時間を左右するこ
とから特性の一つになるわけである．

表2-2　特性表（一部）

代替案	特　　　　性	
	効　果　面	費　用　面
大型車	・積載量が多い ・荷台が高い	・定期整備費が高い ・燃費が悪い
小型車	・積載量が少ない ・荷台が低い	・定期整備費が安い ・燃費が良い

さらに，

特性表がヒントになって新たな代替案に気づく

ことがある．たとえば，今，前表のように代替案が二案あるとして，では，効果も費用も，特性の上で，その中間に位置するような案はないものかと考えた結果，次の表2-3にあるような新しい案が閃き，それを第3の代替案にするということである．

表2-3　特性表（一部）

代替案	特　　　　性	
	効　果　面	費　用　面
大型車	・積載量が多い ・荷台が高い	・定期整備費が高い ・燃費が悪い
小型車	・積載量が少ない ・荷台が低い	・定期整備費が安い ・燃費が良い
中型車	・積載量がやや多い ・荷台が少し低い	・定期整備費がやや高い ・燃費が少し悪い

(2) 例題の場合

　例題では，手順1で検討したように，とりあえずは，工場内で，現在から10年くらい先までの範囲で考えて，構築できそうなシステムを案出するのである．

　まずは次のように，当初から考えていたA社製とB社製の設備案が挙げられる．引き続いて他を当たってみたが近々新たに開発される設備もなく，この二案になったとする．

　　・A社製設備案〜A社製の設備を所要台数取得する．
　　・B社製設備案〜B社製の設備を所要台数取得する．

　ここで，新製造設備が実際にどれくらいの能力を発揮するようになるのか把握できていないため，台数は未定としているが，これについても分析において明らかにすることになる．

　なお，実は，ここには代替案の列挙を，前項の手順の説明にあった「何を」だけにしているが，つまり，自社工場の中に製造設備を設置したり，また，自社で製造することを前提にしてしまっているが，他の「どこに」と，また，「どのように」についても考えると，代替案はもっと広がり，「製造設備を発注元の工場内に設置する」という選択肢もあり，その中に上記の案が含まれることにもなるし，また，自社では製造せず，外注してそれを納品するという代替案も考えられるのである．しかし，手順1の体系構造図にあったように，検討範囲は自社内という前提の下で考えてきていることから，先の二つの案について話を進めるこ

とにする.

　次に，これらについて特性分析を行うと，価格はＡ社製が高くてＢ社製は安い．搬入，据え付け，通電については両案ともに差異はないが，操作できるようになるためには両案ともに教育が必要で，Ａ社製は高額で，Ｂ社製は少し安くなるなど，その結果は，一部に限定するが，次の表2-4のようになったとしよう.

表2-4　特性表（一部）

代替案	特	性
	効 果 面	費 用 面
Ａ社製設備案	・製造速度が速い ・定期整備時間が短い ・故障が少ない ・修理期間が長い	・保守費が高い ・取得費が高い
Ｂ社製設備案	・製造速度がやや遅い ・定期整備時間がやや長い ・故障がやや多い ・修理期間が短い	・保守費が少し安い ・取得費が少し安い

　ここで，両案とも取得費がかかり過ぎるのではと危惧し，もっと安く上げる手はないかと思案して，廃棄するつもりの現有設備の活用を思い付き，従来からある10台の製造設備を大規模に整備し，継続して使用するという継続使用案を新たに代替案として加えることもできるが，話を簡単にするために，これまでどおり先の二案について分析

を進めることにする.

5　判定基準の決定

(1)　手順内容

　ここでは, どのような基準でもって望ましいシステムであると判定するのか, それを決める.

　「尺度」がシステムの良さの程度を測るものであるので, それで決めればよさそうだが, 最初に述べたように, 選ぶに際しては限られた費用の投入量の多寡も併せて考えなければならないためにダメなのである. と言うのは, 尺度上, 最も優れた効果が得られるとしても, そのために必要とする費用がかかり過ぎるようでは贅沢なだけであって無駄遣いになるからである. やはり, 目標とする効果が最も少ない費用で得られるシステムか, 予定する費用で最も高い効果が得られるシステムを選ぶことになるのである. つまり, 判定基準は次のような二つとなり, 問題の特性, 分析の容易性等を考慮していずれかを選ぶのである. もちろん, 費用の側から見るのか効果の側から見るのかが違うだけであるので, 結果は同じになる.

　　　第1の基準〜目標の効果を得るために要する費用が最
　　　　　　　　　も少ないシステムを選ぶ.

　　　第2の基準〜予定の費用でもって得られる効果が最も
　　　　　　　　　大きいシステムを選ぶ.

　この概念を説明するために，今，自然エネルギーを利用する発電システムを決定しようとして，代替案として風力と太陽光という二つの案を考えているとしよう．

　当然，投じられる費用に応じてシステムの規模が変わり，得られる発電量，つまり，得られる効果は変わり，したがって，その様子は，見積結果は離散的になるが，次の図 2-11 のようになる．図は，縦軸に効果である発電量，横軸に投入費用をとり，各システム代替案ごとに，投ずる費用でもって得られる発電量をプロットしたものである．ここで，a_1 という規模の太陽光発電システムは，C_{a1} という費用を投入することによって構築でき，E_{a1} という発電量が得られることを示している．

　これらの結果から分かるように，投入する費用に応じて取得できる効果に関して次の図 2-12 ような費用効果グラフが得られるだろう．

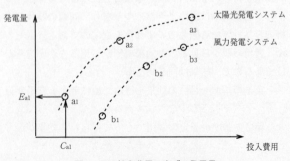

図 2-11　投入費用に応ずる発電量

　ここで，第1の基準を用いる場合，このグラフを次の図 2-13 のように用いて選択する案を決定する．E_0 はもたらしたいと望む目標の効果であり，予算額は C_s であるとすると，この目標の効果は太陽光発電システムでは C_a という費用を投じれば得られるし，風力発電システムでは C_b という費用を投じれば得られることが分かる．つまり，風力発電システムでは C_b という費用を投じなければ得られないが，太陽光発電システムではそれよりも少ない C_a と

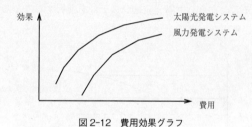

図 2-12　費用効果グラフ

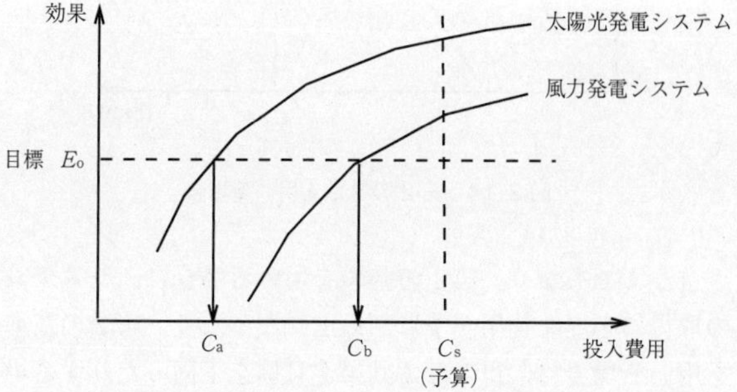

図 2-13　第1の基準を用いる場合

いう費用で得られることから，太陽光発電システムを選択することになる．

　また，第2の基準を用いる場合には，次の図2-14のように，予算額 C_s では，太陽光発電システムでは E_a という効果が得られるし，風力発電システムでは E_b という効果が得られることが分かる．つまり，C_s という予算で風力発電システムでは E_b という効果を得ることができるが，太陽光発電システムではそれよりも高い E_a という効果が得られることから，太陽光発電システムを選択することになる．

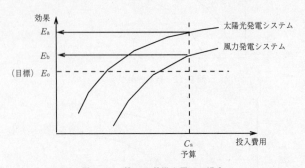

図2-14　第2の基準を用いる場合

　言うまでもなく，第1の基準を用いる場合に，システムの取得に必要な費用が予算額以上になったり，第2の基準を用いる場合に，得られる効果が目標を下回ったりする場合には，そのシステムは代替案から外れることになる．

　なお，「費用対効果比」という，得られる効果を投入する費用で割った値，つまり，単位費用当たりにもたらされる効果が"効率性"を表すからと，その基準でもってシステムの良し悪しを評価するということを見聞きされたことがあると思うが，これを判定基準とする時は注意しなければならない．と言うのは，次の図2-15にあるように，あるシステムが目標とする効果のレベルに達していないのにもかかわらず，費用がかからないために費用対効果比の値は極めて大となり，その数字だけを見てそのシステムを選んでしまうようになるからである．あるいは，予算をかなりオーバーして高額の費用が必要になるにもかかわらず，目標を極めて大きく上回る効果をもたらすために費用対効果比の値が大きくなり，そのシステムを選んでしまうことにもなるからである．

　ところで，ここでは一般性を持たせるために，たいていはそのようになることが多いが，効果と費用は同一単位で表せないものとして述べているだけで，得られる効果と投入する費用が同一の単位で測ることができるのであれば，

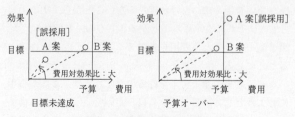

図2-15　費用対効果比の過ち

もちろん，効果から費用を差し引き，収益が最も大きい，あるいは，損益が最も少ないシステムを選べばよいことになる．

(2) 例題の場合

　例題では，予算が決まっていて，その範囲内でまかなおうというものではなく，「年間当たりの製造量」という，達成したい効果がハッキリしていることから第1の基準を用いることになる．つまり，これまでの受注実績や受注予定から考えて，年間に製造しなければならない部品数が定まってくるので，その数を製造するのに最も少ない費用で済むシステム案を選ぼうというのである．

6　モデルの作成

(1) 手順内容

　妥当なシステム案を選定するためには，各代替案からもたらされる効果と，その案を手にするために投じなければならない費用を求めなければならないことから，次の手順として，それらを求めることができるもの，すなわち，「効果予測モデル」と「費用見積モデル」というものを作成することになる．

　なぜ，効果予測モデルを作るのかと言えば，これから手にしようとしているシステムは，たいてい，これから構築しようという将来のシステムであるので実際に操作してそ

の効果を見ようとしてもできないことが多く，また，システムを実際に手にできるとしても結果が出るまでに時間がかかり過ぎたり，戦闘結果とか感染度合い等といった道義的に試せないこともあるわけで，その代わりに姿形は別物だが，機能的には同一の働きをする，つまり，システムの体系を表現する効果予測モデルというものを作成し，それを操作して，実際に得られると考えられる効果を予測しようというのである．

　また，費用見積モデルについても同様に，システムの実体そのものが存在していることは希で，したがって，その実現に要する経費を直接的に見積もることは困難であろう．そのため，それに代わる費用見積モデルというものを作成し，そのモデルを用いて，かかるであろう費用を見積もろうというのである．

　ここからモデルの作り方について説明したいのだが，モデルとはどのようなものなのか分からないのに，その作り方を説明しても理解しにくいのではと考え，以下，まずは両モデルの概要について述べ，その後でその作り方を説明しよう．

（ア）モデルとは
【効果予測モデル】
　効果予測モデルとは，効果を表す尺度値がどのような要因でもって求められるのかを形作ったもので，簡単に言う

と，たとえば，理科の問題を解く時に立てる計算式と同様のものである．例として図2-16にあるように，密度が d_1 で，空気中での重さが W の物体を，密度 d_2 の液体の中に入れた場合，その物体の重さ M はいくらになるか，という浮力の問題を考えよう．

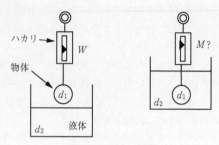

図2-16　浮力の問題

　物体を液体の中に入れると浮力が働いて軽くなるので，求める重さは次式で求められる．

　　求める重さ＝空気中での物体の重さ－浮力

　　　　　　　　　　　　　　　　　……（式1）

　ここで浮力は，液体中の物体は押しのけた液体の量，つまり，物体の体積分の液体の重さの分，軽くなるというアルキメデスの原理（図2-17）により次式で求められる．

　　浮力＝液体の密度×物体の体積　　　……（式2）

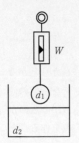 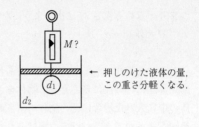

図 2-17　アルキメデスの原理

　ここで，密度と重さ，体積との間には

　　密度＝重さ/体積

という関係があるので，物体の体積は

$$物体の体積＝\frac{空気中での物体の重さ}{物体の密度}$$

となり，したがって，浮力は

$$浮力＝液体の密度×\frac{空気中での物体の重さ}{物体の密度}$$

となる．

　ゆえに，求める重さは

　　求める重さ＝空気中での物体の重さ

$$-液体の密度×\frac{空気中での物体の重さ}{物体の密度}$$

$$＝空気中での物体の重さ$$

$$×\left\{1-\frac{液体の密度}{物体の密度}\right\}$$

つまり，求める重さ M は次のようになる．

$$M = W(1 - d_2/d_1) \qquad \cdots\cdots (式3)$$

こういう数式，つまり，モデルがあれば，ハカリとか液体が実際に目の前に無くとも，物体をさまざまな密度の液体の中に入れた場合にその物体の重さがいくらになるのかを知ることができるわけで，実はこれがモデルを作ることの意義なのである．

このように，手にしようとしているシステムに代わり得るものとして操作でき，その真似ができるもの，つまり，操作対象を作ろうというのである．

実際の場面では，物体とかバネ秤には色が付いていたり，液体の温度とか気温がバネ秤のスプリングに影響して伸びたり縮んだりしていくらかは重くなったり軽くなったりするだろうが，モデルを作る時は，求めようとしている重さにまったく関係しなかったり，精度の観点から見て重さに大きく影響しない物体の色とか温度等といった要素は削ぎ落とし，重さの算定に不可欠な要因のみを検討範囲から抽出して関数関係を組み立てるわけである．

　この例の場合のモデルは数式で表されていることから
「数式モデル」と呼ばれるが，ゲーミングと称する，参加者
が何らかの役割を演じることによって戦闘や経営等の結果
を求める方式をとる場合には，その手順をフローチャート
という図で表すことから「図モデル」という形式になった
り，あるいは，戦史や経済活動のデータ等の過去の記録や，
観察とか実験の結果等をまとめ，これを統計処理して結果
が推論できるように統計表等といった表の形で表す「表モ
デル」になることもあるなど，さまざまな形態をとるよう
になる．

　モデルは，要因の入力値がある関数関係で処理された結
果として出力値が求められることから一般的には次の形を
とるようになる．
　　出力値＝F（要因の入力値）
　　　　　　　　ただし，Fは関数関係を表し，式とか図，表
　　　　　　　　等を意味することになる．
　したがって，たとえばシステムの効果という出力値も次
の形で表すようになる．
　　効果＝F（要因の入力値）
　　　　＝F（環境要因データ，部外要因データ，システム
　　　　　　要因データ）
　ここで，入力値を，環境要因データ，部外要因データ，
システム要因データの三つに区分したが，それは，
　　・システムを取り巻く検討場面の状況を表す共通的な

　　　環境データ

と，競合する企業とか敵対する軍隊のような

　　　・意思を持ってシステムに対立する要素に関する部外
　　　　データ

と，そして，

　　　・システムに応じて異なる固有の特性を示すシステム
　　　　データ

とに分けたということである．特にシステム要因データについては，システム代替案の特性の違いが効果に現れるようにするにはシステム固有の特性データを入力値として取り込まなければならないので，そのことを忘れないように特出しにしたという意味もある．

　モデルは一般的には，演劇での舞台・主役・脇役とか，軍事的には地形・敵・我のように土俵の上での彼我という三者を絡ませて作成することが多く，このように三つに分けて考えていくと要因が整理され，複雑になりがちなモデルの仕組みが理解しやすくなる．

　なお，先の浮力の理科モデルで言えば，同じ物体をさまざまな液体の中に入れてその重さを求める場合，対立する要素は存在しないので部外要因データはなく，物体の重さ W と密度 d_1 は検討場面という土俵になる環境要因データで，替わり得るさまざまな液体の密度 d_2 はシステム固有の特性であるシステムデータに該当することになる．物体の重さ W と密度 d_1 は共通する外界のデータであり，液体の密度 d_2 は液体によって変わるからである．

【費用見積モデル】

　費用見積モデルとは，どのような費用が，どれくらいかかるのかを求められるようにしたものであるが，ここで注意しなければならないのは費用の中味である．多分，読者はシステムそのものを手にする時に支払う金額，つまり，購入代金だけを考えていらっしゃるのではないだろうか．しかし，その考えは第1章のところで述べたように従来の意思決定において多く見られる誤りで，そんな一時的な費用だけではないのである．実は，システムを手にするようになってから手放すまでの生涯にわたってかかる費用，全部を見積もらねばならないのである．つまり，

> **費用はシステムの実用化に向けて検討され始めてから発生し，システムが構築され，入手して用い続け，使命を終えて消滅するまでの間に負担しなければならない全費用を見積もる**

のである．

　もうお分かりだろうが，そうしなければ対等な比較にならないからである．例えば，購入を考えている車種について次の表2-5のような特性の違いがあったとしよう．

　この表を知らずしてどちらかの車を買おうとした時，たいてい，車両価格だけを考え，先々の維持に関する燃費や整備費等まで気が回らない話はよくあることで，一時的な費用である車両価格が安いA車両を買ってしまうのでは

表 2-5　車種ごとの特性表

	車両価格	燃　　費	車検代
A車両	安い	悪い（8 km/ℓ）	高い
B車両	高い	良い（16 km/ℓ）	安い

ないだろうか．そして，使い始めたところで，燃費は悪いし，2年に一度の車検代も高いなどの難点に気が付き，先の事をよく考えればよかったと後悔してしまうこともあり得るのである．B車両は，確かに購入する時は高いが，走れば燃費は安く，また，車検代も安いことから，長い目で見れば全体的には安い買い物であったかもしれないのである．このように全体的な費用を考えないと対等な比較ができず，選定を誤ることにもなりかねないのである．このようにならないよう，全体的に，まさにシステム的に考えるということがシステム分析の良いところであり，特徴なのである．

　では，どのような費用があるのかというと，「開発費」「取得費」「運用費」「廃棄費」といった4つの基本費目があり，その発生の概略の様子は次の図2-18のようになる．

　このように，通常，システムを考え始めた時から研究開発，試作等の「開発費」がかかり，出来上がったシステムを手にする時には「取得費」がかかり，そして，それを運用する期間においても，運転とか検査，修理，燃料等といった「運用費」がかかるし，さらに，大型ゴミや電気製品

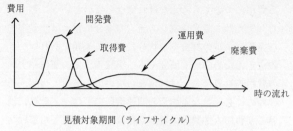

図 2-18　費用発生状況

を捨てる際に処分代を負担しなければならないことからも
お分かりのように，システムが役目を終えて廃棄される時
にも「廃棄費」がかかるのである．

　しかし，システムによっては既成のものがあって開発費
はかからず，取得の段階から費用がかかり始めるものがあ
ったり，在来のシステムを活用するために運用費からかか
るようになる場合もあるなど，システムに伴う費用といっ
ても中味はさまざまである．

　各基本費目の内容の概要を示すと次のようになる．
① 開発費

　ここでは設計とか製作，その試験や評価等，システム
として造り上げるまでに要する費用を計上する．もちろ
ん，試験場所への往復や評価要員の宿泊等についても考
慮しなければならない．ここで注意を要するのは，新規
のシステムを構築する場合で，製作する上で確定してい
ない事柄について研究しなければならない時には研究す

る費用についても考えなければならないということである. 例えば太陽光発電システムの場合で言えば, 効率的な発電パネルの材質や形状等について未知であれば, その決定のための理論研究やら, 実験用設備の製作や実験の費用等も算定しなければならないのである. 当然, そのために必要となる周辺の関連機器の製作や, それに携わる要員の人件費等の費用も積算しなければならない.

② 取得費

ここではシステムそのものや予備品の取得とその設置, 要員の初期教育訓練, 輸送等, システムを運用し始めるまでに必要となる費用を計上する. その際, 忘れがちであるので特に注意しなければならないのは付帯的に備えなければならないもので, 例えば家庭の話で言うと, 調理台を IH に替える時, 電圧を切り換えることが必要になったり, IH 用の調理器具に買い替えたりしなければならないが, そういったものである.

③ 運用費

ここではシステムを運用する際に消費する燃料とか電気, 定期的な整備, 修理, 要員の給与や保険等といった, 日々, 運営, 維持していく上で必要な費用を計上する. そこには検査システムや整備工具, 取替部品といった付随的な機器・物品等も必要になるかもしれないので, よく見渡すことである. その他, 直接関わってこない, 例えば, 火力発電所から出る排気煙の拡散周辺地域の各家庭への空気清浄機運転補助金とか, 借用施設の代金等,

併行的に必要となる事柄についても忘れないことである.

④　廃棄費

　ここではシステムが役目を終える際に必要となる，システム本体はもちろん，使っていた周辺設備や機器類等の撤去処分にかかる費用を計上する. その際，その廃棄方法が分からない場合にはその研究が必要になるが，その費用も含まれるし，また，例えば放射性物質の場合には無害のレベルになるまでの長期間にわたる保管が必要になるが，その間の保管場所の確保と保管施設の建設等の費用も積算しなければならなくなるように，システムの運用が終わってもすぐに費用がかからなくなることはなく，引き続いて負担しなければならない場合もあるのでよく注意することである.

　以上のように，見積の対象となる範囲は空間的にも広く，時間的にも先々までになるので，十分に見据えて検討することである.

　見落とされがちと思われるのは，例えば，ダム建設時に水没する家の人達に対する補償費のように，直接，効果に繋がらない費用で，立ち退きは発電に直接関係しないことからダム建設案の費用に組み込まれないおそれがある.

　なお，使うために必要だが，

　物によってはすでに手にしている場合があるが，そ

　　れはいわゆる,「埋没費用」といって, それについて
　　は費用として計上しない

のである. すでに支出済みであり, 新たな費用にはならな
いわけである. たとえば, 従来から使用している土地や,
輸送車両等をそのまま使用できる場合は費用として積算し
ない.
　また, ここには支出ばかりではなく, 運用時に, 共用シ
ステムであることによる使用料が入ったり, 廃棄時に再使
用可能品の下取りがあるなど, 収益となるプラス分が発生
することがあれば, 各費用のところでその分を減ずるよう
にする.

　したがって, 費用見積モデルは, 上記の基本費目の内容
の概要を参考にしながら, 対象とするシステムにおいては
どのような費目が発生するのかを明らかにし, 対象期間に
おける総費用がいくらになるのか積算できるように作る
が, たとえば次の表2-6のような形になる.

(イ) モデルの作成手順
　前項でモデルの姿が朧気ながらイメージされたと思うの
で, 以下, そのモデルの作り方を説明するが, 作成するま
での手順は次のようになる.
　① シナリオを作成する.
　② 効果予測に関係する要因と, 費用見積に計上すべき

表 2-6　積算表

基本費目	細部費目	金額		
		費用	細部費目合計	基本費目合計
開発費	試験費　人件費	・・・		
	○○○	・・・	→	→
取得費	購入費　本体費	・・・		
	付属品費　整備工具費	・・・		
	○○○	・・・	→	
	○○○	→		→
運用費	教育費　訓練システム費	・・・		
	○○○	・・・	→	→
廃棄費	○○○			
	総費用			・・・

【注】矢印線は合計処理を示す.

　費目を見出す.

　③　効果予測と費用見積のモデルを作成する.

　なぜこの流れになるのかと言うと, 分かりやすくするために逆行的に概略を述べるが, 次の理由による. すなわち, モデルを作るには, 対象期間中のシステムの動きや働き等を真似るのに必要な, その中に採り入れるべき要因とか費目を知らなければならず, そのためにはどういった要因とか費目が関係してくるのかを語る, モデル作成の根拠として前提となるシナリオが必要であり, したがってまずは, システムの真の価値が公正に評価されるよう, 特にそれらが有する特性が発揮される場面を設定したシナリオを描くことが必要になるのである.

　ここで一つ，モデルを作る際に考えておかなければならない大切なことがある．それは，判定基準のところで述べたように，代替案の中から選択する時に必要になる費用効果グラフを作らなければならず，そのためにはモデルによってもたらされる効果の予測値と費用の見積値をプロットすることで効果線と費用線が描けるようにモデルを組み立てなければならないということである．つまり，図2-19にあるように，モデルからの出力結果としてはシステムの運用努力に応ずる効果の値と，その時々の費用の値が求められるようにしなければならないのである．

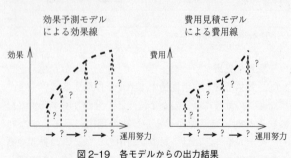

図2-19　各モデルからの出力結果

　ここで，効果を上げていくために必要な運用努力を多くしていく仕方について考えてみると，大きく三つのパターンに分けられる．

　分かりやすくするために，船で物を運ぶ場合にどのような船種がよいかという「船種選択問題」を取りあげ，ある期間内に運搬できる量，つまり，運搬速度を効果とし，運

ぶという運用努力は船で行う場合について述べる．一つは
隻数を2隻，5隻等と増やしていく方法で，もう一つは一
隻のみでその船の積載量を100t，400t等と大きくしてい
く方法である．つまり，同じシステムの「数」を増やして
いくのと，システムの「量」を大きくしていって運用努力
を多くしていくということである．三つめは，ある隻数と
か，ある積載量の船でもって何度も往復して運ぶ方法で，
ある数とか，ある量といった，定まっている規模のシステ
ムをある「期間」に渡って使い続けることによって運用努
力を多くしていくというものである．それらの効果の上げ
方を図示すると図2-20のようになる．

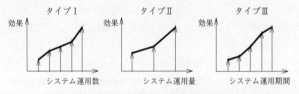

図 2-20　効果を上げるための努力の増やし方

　したがって，効果予測モデルを作る時は，システムの運
用数とか運用量，運用期間といった投入する運用努力に応
ずる効果が求められるようにしなければならないことにな
る．

　ここで，努力が多くなった時の効果線を求めるパターン
は，図2-21にあるように，大きく二つに分けられる．

　一つは，取り巻く状況が変わらず，一単位の運用努力が
反復される場合で，一単位の運用数とか運用量，運用期間

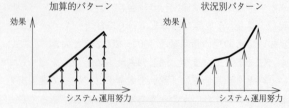

図 2-21 効果線の求め方パターン

の運用努力に応ずる効果を求めれば，増分単位努力に応ずる効果は，加法性が成り立つと見做されることからそれに増分割合を掛ければ求められる場合の「加算的パターン」である．これはたとえば，2隻の時の効果は1隻の時の2倍にすればよいということで，この場合のモデルは1隻の時の効果が求められるように作成すればよいということになる．

　もう一つは，運用努力が多くなった場合にその時々の状態とか運用方法が変わったり，相乗作用とか逓減作用が働くなどの理由で加法性は成り立たず，その時の運用努力の規模に伴って生起する状況に応じて求めなければならない場合の「状況別パターン」である．これはたとえば，積載場所が1箇所しかないとして，そのため，2隻になれば1隻目に積載している間，2隻目は待っていなければならず，積載時間が長くなって運搬に時間がかかることから効果は単純に2倍にはならなくなり，この時のモデルは隻数ごとに効果が求められるように作成しなければならないということになる．

　一方，費用についてみると，効果と同様に増え方のタイプと求め方のパターンがあることになる．費用の増え方については，努力の増やし方に応じて費用が増えていくことから，Ⅰ，Ⅱ，Ⅲの三つのタイプがあるし，費用線の求め方についても次のように二つがある．一つは運用努力が同じ事の繰り返しであるような場合で，費用がシステムの運用数とか運用量，運用期間に比例的に発生すると見做されて，任意の単位の運用努力に応ずる費用は一単位の運用努力の費用の何倍というように加算的に求められる場合の「加算的パターン」である．つまり，たとえば，毎月，同じ努力の連続で費用が同じであれば，M カ月分の費用は 1 カ月分の費用を M 倍すればよいので，この場合のモデルは 1 カ月分のみの費用見積ができるように作成すればよいということになる．

　もう一つは，努力の増加に伴い，大量購入とか一括処理により料金が逓減したり，大型化とかネット化により費用が急増するなどの場合で，費用が変則的に発生するため，その時々の運用努力の規模に基づく状況に応じて求めなければならない場合の「状況別パターン」である．この場合には，加算的パターンとは異なり，運用する努力規模ごとに，別々に費用見積ができるようにモデルを作成しなければならなくなる．

　これらのことから，シナリオ描きから始まって効果と費用の二つのモデルの作成にいたるまでにおいては，以上の

ような事柄を念頭に置き，直面している問題においては，モデルからの出力結果をどのような形に持っていくことになるのかを見定めながら取り組むことが肝要である．つまり，一単位努力規模についての結果が求められるモデルを作ればよいのか，システムに投入する任意の努力規模ごとに結果を求めることができるモデルにするのか，それとも，運用期間の経過に応じた結果を出力することができるモデルにするのかなどといったことを考えていかなければならないのである．

それでは以下，作成の流れに従って述べることにする．

① シナリオを作成する．

　ここでは，各代替案ごとに，実際にその実現化に取り掛かったとして，それが役目を終えるまでの状況をイメージアップし，その間にどのような事象が起こるのかをシナリオにまとめ上げる．つまり，システムをどこに，どのようにして構築し，誰が，いつまで，どのように運用・維持し，どんな終末を迎えさせるのかなど，

　　真似る対象のシステムの発生から消滅するまでの生
　　涯を想定する

のである．とはいえ，シナリオの内容は自分勝手に取り繕ってよいものではなく，モデルによるシステムの評価結果

を裏付ける，つまり，科学の方法における仮説に相当する
ものなので，一般的に受け入れられるような妥当な内容
で，根拠ある説明ができなければならないのである．

　シナリオを描くには，まずは，

**　想定する生涯の様子とか状況を図に表す**

とよい．複雑な体系を頭で考えていても具体的にならない
ため，浮力の問題にあったように絵図とかアニメにした
り，運用構想図とか概念図，俯瞰図や状態推移図，フロー
チャート等で表すと実体的になり，イメージの中味が深ま
るようになるのでお薦めである．言うまでもなく，体系構
造図を念頭に，空間的・時間的な検討範囲について広く，
先々まで見据えることが大切である．

　次にその図を見ながらシナリオを描いていくのだが，シ
ナリオの出来不出来がシステムを評価するモデルの妥当性
を左右するのでよく考えて作成しなければならない．
　特に次の点に留意すべきで，その一つは，仮想であった
り，思い付きの絵空事であってはならず，

**　各案にとってそのシステムの目的達成のための運用**
**　構想に基づいた公平な筋書きになるようにする**

ことである．と言うのは，それを元にして各案を評価・比
較できるモデルを作るのであるから，その舞台は本来の役
目を果たす場であり，偏りのない場でなければならないか
らである．

　たとえば，前に例に出した「車種選択問題」を考えよう．
運搬速度を効果として取り上げ，そのシナリオを考える
時，架空の場所や経路，荷物量等を設定してはならない．
実際に荷物を積載・卸下する場所やトラックを走らせる区
間を設定し，そこを舞台としてシナリオを描き上げるので
ある．そうしなければ積載・卸下時間はもちろん，交通渋
滞や路面の状況も実際とは異なり，運搬速度の予測が正当
ではなくなり，評価結果の根拠にならなくなってしまうの
である．

　また，

　　各代替案の特性の違いがモデルの仕組みに取り込め
　　るよう，特性から生起することが想像される状況を
　　洞察し，それを折り込んで場を設定する

ことが肝要である．特性を考慮しなければシステム固有の
真価が評価されないままに終わってしまい，公正な評価・
比較にならなくなるからである．

　たとえば大型車は修理日数が長く，修理費も高いという
特性があるのに，故障することを設定しないようなことが
あってはならないのである．

さらに，

　　いずれかの案にとって恣意的に有利であったり，不
　　利であったりしてはならない

のであり，たとえば，荷物運搬の例で言えば，荷台の広さ
に有利なように，毎回，大量の荷物が発生するようにした
り，逆に，不利なように少量の荷物しか発生しないように
設定してはならないわけである．

　ご存知のように，

　　特性そのものはメリットでもデメリットでもなく，
　　見方や場合によりメリットになったりデメリットに
　　もなる

ものである．たとえば，積載量が大きいという特性は荷物
がたくさん積めるということからはメリットになるが，そ
のたくさんの荷物を積むには時間が多くかかるということ
からはデメリットになるわけである．したがって，シナリ
オを描く時は，そういう視点が大切で，

　　特性がどんなメリットとデメリットをもたらすこと
　　があるのか，そして，効果と費用に良く作用したり，
　　あるいは，悪く作用するのはどんな状況の時なのか

を考えてその場を設定していく

ことである．逆に，メリットとして作用している場面はあ
るのか，あるいは，デメリットとして作用している場面は
あるのかなどとチェックしていくというのもよい．

　メリットとかデメリットと捉える際に注意しなければな
らないのは，一つは

　メリットに隠れているデメリットがないか

をよく考えることである．何かに囚われ，メリットばかり
に目を奪われてしまい，デメリットに気付かないことがあ
るものである．
　たとえば，高感度の音響センサーなので良い事ばかりと
思っていたら，船内で発生する振動音に始まり，近付いた
鯨とか付近を航行する船舶や仲間の漁船，潜水艦のスクリ
ュー音等にいたるまで多くの音源を拾い過ぎてしまうとい
う難点が出てくることにもなるのである．
　メリットの裏返しはデメリットと言われているし，何も
かも良いということはなく，必ず良くない点が幾つかあ
るものである．恋は盲目と言われているように，何かに
魅せられてしまうと悪いところが見えなくなってしまうの
で，改めて各代替案をメリットを見る目，デメリットを見
る目で眺めて，それぞれを正しく摑むことが大切なのであ

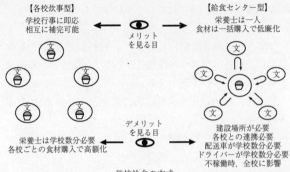

学校給食の方式

る.

　もちろん，その逆もある.

　また二つ目の要注意事項は，特に更新時に起こりがちな
のだが，それまでの

> 旧システムに備わっていたメリットは新規のシステ
> ムにも引き続いてあるものと思い込んでしまうもの
> であり，その結果，評価する時の要因として見落と
> すことがある

ということである.

　たとえば，従来のシステムと同様にスイッチを入れれば
すぐに使用できるものと思っていたら，新しいシステムで
は長いウォームアップ時間が必要になっていたなどという
ことである．このデメリットに気付かなければ新システム

の稼働率は高く評価されてしまうわけである.

　ここで, これまで例にしてきた「車種選択問題」の対象期間におけるシナリオの作成について, 一部分となるが大型車の場合について例示する.

　まずは, その状況を推移図的に表すと次の図 2-22 のようになる.

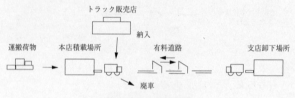

図 2-22　状況推移図

　次に, シナリオは状況図を参考にし, 特性から想像される状況を洞察しながら, 生起事象を描いていくが, 次の表 2-7 のように

> 「開発」「取得」「運用」「廃棄」の 4 つの段階に分け
> ると描きやすくなる

ものである. この段階は費用見積モデルのところで説明した費用区分に倣ったものである.

　ここで, 費用効果グラフへの当てはめ方を考えると, 小型と大型の各々1台のみを対象としているのでタイプⅢになるが, 効果線と費用線が加算的と状況別のいずれのパタ

表2-7　シナリオ（大型車の場合）

段階	シ　ナ　リ　オ
開発	・すでに販売されており該当内容はない.
取得	・トラック販売店から購入する. なお, 最大積載量は8t. 燃料は軽油.
運用	・月の運搬日数は25日. ・運搬距離は200kmで, 有料道路を使用し, 大型免許所持者が運転. ・積載量が大きいために積載卸下時間が長くなり, 本店で荷物を午前中に積載し, 支店まで運搬して午後に卸下し, 夕方に本店に戻ることから一日に1回しか運搬できない. 運搬には特異な状況はなく, 毎月繰り返しの日々である. ・日々の荷物量は変動し, 実績は運搬日の30%が4t未満で, 平均は3t. 残りの70%の平均は7t. ・年に一度, 車検整備があるが運行停止は2日間程度で済む. ・大型車のため, 運転手の確保や車体の不具合で不稼働になりやすい.
廃棄	・運用年数の10年が経過すれば廃車へ.

ーンに該当するようになるのかを念頭に置いてシナリオを描いていかなければならない.

　なお, ここでは大型車と小型車の特性の違いを評価できるように, 一日の運搬回数とか料金の違う有料道路の使用, 荷物量の多寡についてシナリオに含ませている.

　シナリオには5W1Hを含ませることを基本として描くのも一法である. つまり,

　　何のために, 誰が, いつ, どこで, 何を, いかに (何

《人，物》を用いて，誰に，どんな行為をさせ，どん
な結果を得たのか）などのうち，必要な事柄につい
て描く

のである．
　その際，表2-8のように

表2-8　シナリオ（項目列挙式に記述している）

段階	代　　替　　案	
	大　型　車	小　型　車
開発	・該当内容なし．	・該当内容なし．
取得	・購入． ・最大積載量は8t．燃料は軽油．	・購入． ・最大積載量は4t．燃料はガソリン．
運用	・月の運搬日数は25日． ・運搬距離は200km．有料道路は大型料金．大型免許所持者が運転． ・積載量が大きいため，運搬は一日に1回．一年を通じて毎月繰り返しの日々． ・日々の荷物量は変動し，月の30%は4t未満で，平均は3t．その場合には荷台を空けての運行になり，有料道路代，燃料消費が非効率になる．残りの70%の平均は7t． ・年に一度，車検整備． ・不稼働の割合が大きい．	・月の運搬日数は25日． ・運搬距離は200km．有料道路は小型料金．普通免許所持者が運転． ・積載量が少ないため，運搬は一日に2回まで．一年を通じて毎月繰り返しの日々． ・日々の荷物量は変動し，月の30%は4t未満で，平均は3t．その場合には一日1回の運行になる．残りの70%の平均は7t． ・年に一度，車検整備． ・不稼働の割合は小さい．
廃棄	・運用年数10年で廃車へ．	・運用年数10年で廃車へ．

【注】一部略．

他の代替案と対比して進めていくと，特性の違いか
ら，あるいは共通点から新たな生起事象に気付きや
すくなる

ものである．たとえば，これまで小型車でほとんど満載で
運搬してきたので，積載量が大きいというメリットを有す
る大型車を考えたが，荷物が少ない日には荷台を広く空け
たままの状態での運行になり，燃料消費が非効率になるこ
とに気付くようになるということである．

② 効果予測に関係する要因と，費用見積に計上する費目
を見出す．
　ここではシナリオを基に，各段階における生起事象の状
況を詳察し，効果を予測する上で関係すると考えられる要
因と費用の見積に計上すべきと考えられる費目を拾い上
げ，次の表2-9のような「シナリオ要因費目表」なるもの
を作成する．
　表にある効果に関係する要因を見出すには次のようにす
るとよい．基本は効果の尺度を念頭に置き，シナリオを追
いながら，

尺度の値を上げたり，下げたりする事柄を見つける

ことである．つまり，ここでは年間の荷物運搬量というメ
ガネを掛けてシナリオに目を通し，その数値を維持した

表 2-9　シナリオ要因費目表（大型車案の場合）

段階	シ　ナ　リ　オ	効果に関係する要因	費用に計上する費目
開発	・すでに販売されており該当内容はなし.		
取得	・トラック販売店から購入. なお，最大積載量は 8 t. 燃料は軽油.	・最大積載量	・納車費 ・購入費
運用	・月の運搬日数は 25 日. ・運搬距離は 200 km で，大型料金で有料道路を使用し，大型免許所持者が運転. ・積載量が大きいために積載卸下時間が長くなり，本店で荷物を午前中に積載し，支店まで運搬して午後に卸下し，夕方に本店に戻ることから一日に一回しか運搬できない. 一年を通じて毎月繰り返しの日々. ・日々の荷物量は変動し，月の 30% は 4 t 未満で，その場合には荷台を空けての運行になり，有料道路代，燃料消費が非効率になる. 平均は 3 t. 残りの 70% の平均は 7 t. ・年に一度，車検整備があるが運行停止は 2 日間程度で済む. ・大型車のため，運転手の確保や車体の不具合で不稼働になりやすい.	・月の平均運搬日数 ・一日の平均発生荷物量 ・年間整備日数 ・年間不稼働日数	・有料道路費 （一日の運行回数）※ ・燃料費 （運搬距離，燃費，軽油価格） ・整備費 ・修理費
廃棄	・運用年数の 10 年が経過すれば廃車へ.		・（運用年数）※ ・廃車費

※　（　）内は費用見積に関係する内容・費目を記述.

り，減少させる事柄を摑み出すのである．したがってたとえば，尺度は年間の運搬量で，時間と能力の掛け算であるということから，時間と能力の増減に関わる記述に留意しながらシナリオに目を通し，要因を抽出するようにする．

　また，費用に計上する費目については，シナリオで何かをする，すなわち，

　　動詞形の記述があればそれについて経費がかかるか
　　どうかを考えて費目を見出す

のである．

③　効果予測と費用見積のモデルを作成する．

　ここではシナリオ要因費目表に展開した要因と費目を用いて効果予測と費用見積のモデルを作成する．以下，部分的な例示になるが，効果予測モデル，費用見積モデルの順で，その作り方について述べる．

【効果予測モデル】

　モデルを作成する基本的な手順は次のようになる．

　　a　モデル化しやすくするために対象を図示する．

　　b　効果が要因でもって導き出されるまでの関係を数
　　　　式，図，表等で表す．

　以下，この順序で説明する．

a モデル化しやすくするために対象を図示する

　まずはシナリオの効果に関わる事柄に述べられている状況をイメージして図を描くのである．描き方は俯瞰図なり，フローチャートなり，線図なり，関係する要因を念頭に置いて簡素に表し，モデル化しやすい絵図にする．「車種選択問題」の例で一案を示すと図 2-23 のようになる.

　　運搬荷物　　本店積載場所　　　　有料道路　　　　　　支店卸下場所

図 2-23　運搬状況図

b 効果が要因でもって導き出されるまでの関係を数式，
　図，表等で表す

　これについては小型車による荷物運搬の例で示す．ここで，モデルの対象は年間を通じて毎月繰り返しの運搬であり，したがって，効果である運搬量は 0 から月の経つのに比例して増加していき，12 カ月後の年末には「年間の荷物運搬量」にいたることから効果線は加算的パターンになると考えてよいことになる．したがって，モデルは 1 カ月分の運搬量を求め，それを基に月ごとの運搬量を加算することで効果線が描けるように作成する.

　効果は「年間の荷物運搬量」であるので，基本式は月の平均発生荷物量を基にして次のようになり，

　　　　年間の荷物運搬量$_S$＝月間の荷物運搬量$_S$×12
細部項目は次の式で求める．なお，添え字の S は小型車の

場合を表す.

月間の荷物運搬量$_S$＝3 t×4 t 未満の月間日数$_S$

$+$7 t×4 t 以上の月間日数$_S$

4 t 未満の月間日数$_S$＝月間平均運搬日数$_S$×0.3

4 t 以上の月間日数$_S$＝月間平均運搬日数$_S$×0.7

月間平均運搬日数$_S$＝25－（年間整備日数$_S$＋年間不

稼働日数$_S$）/12

ここでは, 年間に生起する整備とか不稼働等の日数を 12
で割ることで各月に平均的に振り分けて考えている.

ちなみに, このモデルによって得られる効果線の概形を
示すと, 次の図 2-24 のようになる.

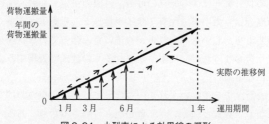

図 2-24　小型車による効果線の概形

途中の状態は運搬して増え続けるだろうが, 定期整備や
故障して横這いになることもあり, 実際にはどのように推
移するか分からないものの, それらを取り込んで予測した
年間の運搬量は確かであり, 最終的にはその運搬量に行き
着くことになるわけである. つまり, ある程度の食い違い
はあるだろうが, 厳密に途中の運搬量の推移を追わず, 途

中を引っくるめて直線に均してしまうわけである.

　なお，前にもお話ししたが，毎年，季節変動によって定まったパターンで荷物が発生し，毎月その量が大きく異なる場合には毎月の繰り返しではなくなり，月ごとに変わることから一律に扱えないため，状況別パターンになることを考えて月々の荷物量に応じて効果が予測できるようにモデルを作らなければならない.

　モデルの多くは数式になりがちで，簡単に一つの式で表現できることもあれば，たとえば，防空戦での対空ミサイルと迎撃戦闘機の交戦結果を予測するような場合には，彼我のレーダーによる発見の可否，目標の決定，会敵・捕捉の度合い，命中率，保有ミサイル数等々，考慮すべき多くの要素を，しかも，それらが複雑に絡み合っている状況を取り扱わなければならず，かなり多くの数式で表現するようになる.

　また，モデルはいずれか一つの形にしかならないわけではなく，数式と図という二者が組み合わさったり，あるいは，数式と図，表の三者が幾重にも組み合わさるなど，さ

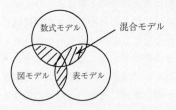

まざまな混合モデルが形作られることがある.

　いずれの形式のモデル化についても, 対象とするシステムのほとんどが将来ものであることから, どのような要素が関わるのか, どういった関数関係があるのか, そして, 用いるデータは手に入るのかなどと分からない事柄が多くなり, 形作ることができないのではと考えるだろうが, とりあえずは可能であると思ってモデルの形に展開することである. 具体化は, その後で調査し, 検討すればよい.

　どうしても分からないようであれば, 既存の同等の対象から推察するとか, あるいは, 前に述べた「デルファイ法」という方法に頼り, さまざまな分野の人の知見を集約してまとめ上げるのがよいだろう.

　なお, 手にしようとしているシステムそのものがあり, それを用いて直接, 結果を知ることができるのであれば, 効果予測モデルを作る必要がないことは言うまでもない.

【費用見積モデル】

　費用見積モデルの概要を説明したところで, その姿として積算表を述べたが, 実はまだ一部分であり, 次の二つの手順を経て一応の形が整うことになる.

　　a　積算表の作成

　　b　算定方法の設定

　以下, この順序で説明する.

a　積算表の作成

　積算表の作成に入る前に「年間費用」について付け加える．費用発生は単年度のみで終わるものもあるだろうが，一般的には，開発費のように数年にわたって異なる費目が発生したり，また，特に運用費のように長きにわたって毎年，ほとんど同一の費用がかかってくるのがほとんどである．したがって，対象期間において発生する費用は，たとえば次の図 2-25 のようになる．

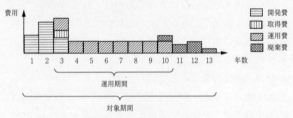

図 2-25　費用発生の様子

　実は，これはモデルの概要のところで示した費用発生状況（図 2-18）のことになる．しかし，前に少し触れたが，産声をあげる頃から使う場合もあれば，在来システムを継続して使用する場合もあり，出だしから廃棄にいたるまでの対象期間はシステムによって異なることは大いにあり得るわけで，それらのシステムを比較する際には共通の土俵に上げる必要があることから，ある単位期間についての費用に換算しなければならないことになる．そのため，たいていは，比較しやすくするために年間に必要となる費用を

割り出すわけで，つまり，次式のように

　　総費用をシステムの運用期間の年数で割り，運用し
　　て効果を得ている期間にわたって均して「年間費
　　用」として求める

のである．これが費用見積モデルの最終アウトプットとな
るのである．

$$年間費用＝\frac{開発費＋取得費＋運用費＋廃棄費}{運用年数}$$

　この概念は次の図 2-26 のとおりである．

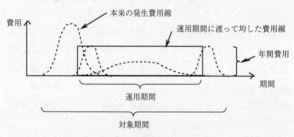

図 2-26　年間費用の割り出し

　なお，たとえば，運用期間の長いシステム甲と，運用期
間の短いシステム乙があったとすれば，各々の年間費用は
次の図 2-27 のように考えて割り出すことになる．
　以上のことを踏まえ，費用見積モデルの最終アウトプッ
トである年間費用を出すためには，モデルの概要のところ
で示した積算表に，たとえば次の表 2-10 の波線で囲んだ

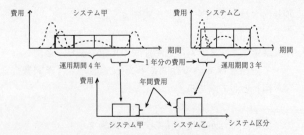

図 2-27　運用期間に応ずる年間費用の割り出し

箇所のように年の「列」を作り，対象期間の年ごとに発生する基本費目の「行」を追加して設けるとともに，運用年数と年間費用を表示する「欄」を追加することが必要で，これでもって望ましい積算表の姿になる．

　なお，この積算表は費用の増え方のⅠ，Ⅱのタイプに該当するときのもので，基本的なヒナ型としての一単位の努力分について表しているが，費用線を描く際，費用線の求め方が加算的パターンの場合であれば，これに運用努力の増分割合を掛けていくことで運用努力の増分に応ずる年間費用が順次求められていく．

　しかし，費用線の求め方が状況別パターンの場合には，表 2-11 にあるように運用努力に応じて生起する各状況ごとに積算表を作成しなければならない．

　ところで，「車種選択問題」のように費用の増え方がタイプⅢに該当する場合の費用線の形は，タイプⅠ，Ⅱと異なって図 2-28 のようになる．なお，これは加算的パターンとなる時の例になるが，毎月かかる経費，つまり，単位運

表2-10　積算表

年	基本費目	細部費目		金額		
				費用	細部費目合計	基本費目合計
1	開発費	試験費	人件費【算定】	・・・		
			○○○	・・・	・・・	
2	開発費	試験費	人件費	・・・		
			○○○【算定】	・・・		
	取得費	購入費	本体費	・・・		
			付属品費			
		教育費	訓練システム費	・・・		
			○○○			
	運用費	運転費	燃料費【算定①】	・・・		
			○○○			
3～8	運用費	運転費	燃料費【算定①】	・・・		
			○○○			
			○○○			
9	運用費	運転費	燃料費【算定①】	・・・		
			○○○			
	廃棄費	解体費	【算定②】	・・・		
10	廃棄費	解体費	【算定②】	・・・		
					総費用	・・・
					運用年数	8
					年間費用	・・・

○○○は費目を表す.

・・・は費用の数字を表す.

【算定】は後に説明する「算定方法の設定」で計算することを表す.

矢印線は合計処理を表す.

用費がほぼ一定である状況で，月を追うごとに運用費が比例して増えていくという様子を表している.

　この形になる理由は，開発費と取得費，廃棄費というものはシステムを手にすることに伴って負担せざるを得ない

表 2-11　積算表（状況別パターン）

積算表（運用努力1の場合）　積算表（運用努力2の場合）　積算表（運用努力nの場合）

年	基本費目	細部費目	金額		
			費用	細部	合計
		. . .			
総費用					
運用年数					
年間費用					

年	基本費目	細部費目	金額		
			費用	細部	合計
		. . .			
総費用					
運用年数					
年間費用					

. . .

年	基本費目	細部費目	金額		
			費用	細部	合計
		. . .			
総費用					
運用年数					
年間費用					

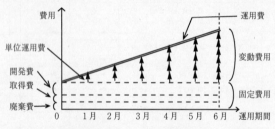

図 2-28　費用線の概形（タイプⅢ，加算的パターンの場合）

費用で，運用期間を通じて常に一定であることから固定費
用と捉え，かたや，運用費は効果を上げていく運用期間の
増加に伴って多くなることから変動費用と見做し，固定費
用額の上に，運用開始の点から運用経過に応じて増える単
位運用費を積み重ねていくことになるからである．これに
より，たとえば，目標を達成する時点において費用がいく
らかかることになるのかが分かるし，逆に，ある費用をか

けたら努力をどれくらいの期間まで投入できるのか，つまり，効果をどの程度まで上げられるのかが分かることになる.

このため，加算的パターンになる時には，積算表は表2-12にあるように運用費の分を抜き出した形にし，それで運用費を除いた年間費用を求めるとともに運用費は別に見積もるようにする.

したがって，この一単位運用期間分の費用を求めれば，任意の運用期間に応ずる費用はそれに運用期間単位数を掛けることで求められ，費用線を引くことができることにな

表2-12　積算表（タイプⅢ，加算型パターン）

年	基本費目	細 部 費 目	金　　　額		
			費　用	細部費目合計	基本費目合計
1	開発費				
2	開発費				
﹨	取得費				
10	廃棄費				
総　費　用					
運　用　年　数					
年間費用（運用費除く）					

運用期間	基本費目	細 部 費 目	金　　　額		
			費　用	細部費目合計	運用費用
単位運用期間	運用費	運転費　燃料費 ○○○　○○○ ○○○　○○○ ○○○　○○○	・・・ ・・・ ・・・ ・・・	・・・	・・・

112

る．言うまでもなく，一年間が見積期間である場合，一年間の運用費を一括して算定できれば一年が単位運用期間となるし，また，全運用期間ともなり，表2-12の積算表のみで図2-29のような費用線が描けることになる．

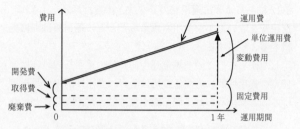

図2-29　費用線の概形（タイプⅢ，一括見積の場合）

また，タイプⅢで状況別パターンになる場合の費用線は図2-30のようになる．これは，たとえば，車種選択問題におけるシナリオで数日間にわたる戦闘の下での物資輸送を設想した場合で，日々の攻撃で車が損耗して日数の経過に伴って車の数が減少することで燃料費が日ごとに少なくな

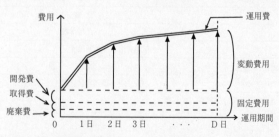

図2-30　費用線の概形（タイプⅢ，状況別パターンの場合）

表2-13　積算表（タイプⅢ，状況別パターン）

年	基本費目	細　部　費　目	金　額		
			費　用	細部費目合計	基本費目合計
1	開発費				
2	開発費				
	取得費				
10	廃棄費				
					総　費　用
					運用年数
				年間費用（運用費除く）	

期間	基本費目	細　部　費　目		金　額		
				費　用	細部費目合計	運用費用
1日	運用費	運転費 ○○○ ○○○ ○○○	燃料費 ○○○ ○○○ ○○○	・・・ ・・・ ・・・ ・・・		
2日	運用費	運転費 ○○○ ○○○ ○○○	燃料費 ○○○ ○○○ ○○○	・・・ ・・・ ・・・ ・・・		
					累計費用	
3日	運用費	運転費 ○○○ ○○○ ○○○	燃料費 ○○○ ○○○ ○○○	・・・ ・・・ ・・・ ・・・		
					累計費用	
		・・・・・			累計費用	
D日	運用費	運転費 ○○○ ○○○ ○○○	燃料費 ○○○ ○○○ ○○○	・・・ ・・・ ・・・ ・・・		
					累計費用	

るような状況に該当する.

このため, 状況別パターンになる場合には表 2-13 にあるように, 運用の経過に伴って生起する状況ごとにかかる運用費が見積もれる積算表 (タイプⅢ, 状況別パターン) を作成しなければならない.

これまでに述べた積算表で年間費用が求められることになり, この積算表が費用見積モデルの完成形となるが, 代替案ごとにデータを入れれば即座に総費用が求められるように, たとえば表計算ソフトのエクセルを用い,

自動計算ができる形にしておく

と良い. 特に, 次に説明する「算定方法の設定」で計算することになる【算定】については, 当該シートの脇や別のシートに算定方法を組み込んでおき, 費用欄に自動的に入力されるようにしておくことをお薦めする. なぜならば, 後で説明する「感度分析」のところで, 何回もデータの値を振って費用の変化を調べることがあり, そのつど新たに計算し直していては計算量が膨大になってしまうからである.

b 算定方法の設定

もう一つ加えたいのが, 前項の積算表の中で触れた, この算定方法の設定である. 積算表の各細部費目の費用欄に金額を入れるが, 車の購入代金のようにハッキリしている

場合はそのままの数字を入れればよい．しかし，走行距離と燃費から消費燃料を出し，それに燃料単価をかけて燃料費を出す時のように，計算しなければならない場合もあるだろうし，また，その時点ではまったく分からなくて予測したり，類推しなければならないこともあるわけで，そういった時の費用が算定できるようにしておかなければならないことから，

計算式とか予測式，あるいは類推方法

等の算定方法を設定する必要がある．

　たとえば，表2-10の積算表の燃料費の【算定①】について言えば，シートの脇とか別シートに次のような計算ができるようにし，その結果が燃料費の費用の欄に自動的に入るようにしておくのである．

　　　燃料費＝（走行距離/燃費）×燃料単価

　また，特に，システム案の実体がない場合が多いことから予測したり類推して見積もることが常態となる．たとえば，システムに必要なプログラムの概略のステップ数は分かったものの，その経費を算定しようとしても実際に組んでみないと所要時間は分からず，したがって，経費は算定できないことになってしまう．その場合，次の図2-31のように，実績データを分散分析とか相関分析等の統計処理（細部については統計学の書を参考にしてほしい）により予測式を求め，システム案の予想プログラムステップ数を

当てはめて金額を見積もったり，あるいは，解体費の【算定②】については，システムと同様の実存機器の何倍の規模になるのかを想定し，実存機器の経費実績に倍数を掛けるなどという類推により概略値を見積もるのである．

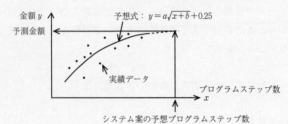

図 2-31　予測式からの見積

以上のようにして費用見積モデルが作成できるが，その手順をまとめると次のようになる．まずは，全体像が把握しやすいように

　　① 対象期間における費用発生状況を描く

ことであり，以下，

　　② 積算表を作る

　　③ 必要に応じて算定方法を設定する

ことになる．

(2) 例題の場合

前に説明したように，次のモデルの作成手順に従って述べる．

　　① シナリオを作成する．

②　効果予測に関係する要因と，費用見積に計上すべき費目を見出す．

③　効果予測と費用見積のモデルを作成する．

なお，代替案は同じ型式の製造設備で構成され，しかし，その台数が定まっていないことから費用効果グラフはタイプⅠとなることを念頭に置いて分析を進めることになる．

①　シナリオを作成する

まずは，代替案のところで見出した特性を勘案しつつ，製作会社から設備が納められ，部品を製造し，運用年数が過ぎて廃棄される，というその状況をイメージして次のような図2-32を描く．

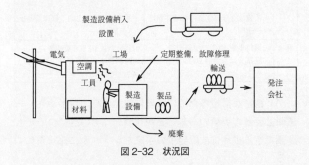

図2-32　状況図

シナリオは，特性を考慮しながら描くと，一部を示すが，次の表2-14のようになる．

ここで，Ａ社製設備の特性について調べた結果，たとえば，故障は平均して3年に1回程度とのことで頻度は少な

表2-14　シナリオ

段階	代　替　案	
	A社製設備案	B社製設備案
開発	・市販品のため，該当事項なし.	・市販品のため，該当事項なし.
取得	・納入設置. 2台目以降，購入価格と設置費は1台当たり1%割引き. ・新規設備1台目購入時に操作教育受け.	・納入設置. 2台目以降，購入価格と設置費は1台当たり1%割引き. ・新規設備1台目購入時に操作教育受け.
運用	・工具が，休日を除き，部品を高速で製造. ・製造設備が増加した場合，製造量は1台分に台数を掛けた量になる. ・定期整備は年1回. 期間は1日. ・故障は3年に1回. 修理期間は一週間.	・工具が，休日を除き，部品をやや低速で製造. ・製造設備が増加した場合，製造量は1台分に台数を掛けた量になる. ・定期整備は年1回. 期間は3日. ・故障は2年に1回. 修理期間は3日間.
廃棄	・運用年数10年で更新予定. ・廃棄費は2台目以降，1台当たり1%割引き.	・運用年数10年で更新予定. ・廃棄費は2台目以降，1台当たり1%割引き.

いが，精密な構造のために修理に要する時間がかかり，一週間必要との実績のあることが判明し，その点についても評価できるように故障発生の事象をシナリオに採り入れている.

　なお，シナリオから分かるように，効果線については製造設備の台数に比例して製造量が増えるので加算的パターンとなるが，費用線については製造設備の台数に伴って取得費や廃棄費が割引きになるなどにより変動することから

台数に伴う状況別パターンになるので，これらを念頭にモデルを作成することになる.

② 効果予測に関係する要因と，費用見積に計上すべき費目を見出す

効果の尺度である「年間製造量」を念頭に置いて要因を拾い上げるとともに，業務の遂行内容に着目してその時に

表 2-15　シナリオ要因費目表（A 社製設備案の場合）

段階	シ ナ リ オ	効果に関係する要因	費用に計上する費目
開発	・市販品のため，該当事項なし.		
取得	・納入設置. 2 台目以降，購入価格と設置費は 1 台当たり 1% 割引き. ・新規設備 1 台目購入時に操作教育受け.		・購入費 ・設置費 ・教育費
運用	・工具が，休日を除き，部品を高速製造. ・製造設備が増加した場合，製造量は 1 台分に台数を掛けた量になる. ・定期整備は年 1 回. 期間は 1 日. ・故障は 3 年に 1 回. 修理期間は一週間.	・年間製造予定時間 ・製造速度 ・平均年間定期整備時間 ・年間平均故障回数 ・故障 1 回当たり平均修理時間	・運転費 （人件費，電力費） 　　　　　　　※ ・定期整備費 （人件費，工具・部品費） ・修理費 （人件費，工具・部品費）
廃棄	・運用年数 10 年で更新予定. ・廃棄費は 2 台目以降，1 台当たり 1% 割引き.		・（運用年数） ・廃棄費

※ （　）内は費用見積に関係する項目・費目を記述.

かかる費目を洞察する．ここでは，他案については同様になるので A 社製設備案の場合についてのみ示すが，表 2-15 のようになる．

ここで効果については，たとえば，故障は年間にあったりなかったりするので，平均値扱いをするために年間平均故障回数という要因を取りあげている．

また，費用については，たとえば，定期整備や修理には人・物が必要なことから定期整備費と修理の細部費目として人件費，工具・部品費を取りあげている．

③ 効果予測と費用見積のモデルを作成する

【効果予測モデル】

例題では，尺度は「年間当たりの製造量」であるので，各システム案のその数値，つまり，効果がいくらになるのか，それを求めることができるモデルを作ることになる．なお，効果線は加算的パターンになるので，製造設備 1 台分の効果が求められるモデルを作成し，この 1 台分の効果に台数を掛けることで台数に応ずる効果を求める．

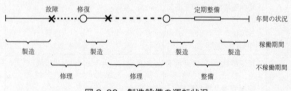

図 2-33　製造設備の運転状況

a モデル化しやすくするために対象を図示する

まずは，1台の設備の年間の運転状況を想像しながら図2-33のような絵を描く．

b 効果が要因でもって導き出されるまでの関係を数式，
　図，表等で表す

次に，図2-33の運転状況を見ながら，シナリオ要因費目表に取りあげた要因を考慮しつつ，効果となる1台の年間当たりの製造量を求める式を立てると次のようになる．

　　　1台の年間当たりの製造量＝年間平均稼働時間
　　　　　　　　　　　　　　　　　×製造速度

ここで，

　　　年間平均稼働時間＝年間製造予定時間
　　　　　　　　　　　　－年間平均修理時間
　　　　　　　　　　　　－年間平均整備時間

ただし，

　　　年間平均修理時間＝年間平均故障回数
　　　　　　　　　　　　　　×故障1回当たり平均修理時間

ゆえに，

　　　1台の年間当たりの製造量
　　　　＝{年間製造予定時間－年間平均修理時間
　　　　　　　　　　　　－年間平均整備時間}×製造速度

という数式モデルが作り上げられることになる．

したがって，各代替案の効果である1台の年間当たりの製造量 E_a，E_b は次の式によって求められることになる．

なお，小文字の添え字a，bは各々，A社案，B社案を意味し，当該データであることを示す．（以下，同じ．）

[A社製設備案]

1台の年間当たりの製造量：

$E_a = \{$年間製造予定時間－年間平均修理時間$_a$
　　　－年間平均整備時間$_a\}$×製造速度$_a$

ただし，

年間平均修理時間$_a$＝年間平均故障回数$_a$
　　　　　　　　　×故障1回当たり平均修理時間$_a$

[B社製設備案]

1台の年間当たりの製造量：

$E_b = \{$年間製造予定時間－年間平均修理時間$_b$
　　　－年間平均整備時間$_b\}$×製造速度$_b$

ただし，

年間平均修理時間$_b$＝年間平均故障回数$_b$
　　　　　　　　　×故障1回当たり平均修理時間$_b$

なお，故障は年ごとに増えていくものであることから，その増加割合が無視できないような場合には1年分だけの稼働期間を対象にするのではなく，運用期間全体にわたって年ごとの年間製造量を算定して合計し，それを運用年数で割って年間当たりの平均製造量を求めることになる．

【費用見積モデル】

前に述べた次の作成手順に従って費用見積モデルを作

る.

① 対象期間における費用発生状況を描く.

② 積算表を作る.

③ 必要に応じて算定方法を設定する.

① 対象期間における費用発生状況を描く.

例題では, 新たに設備を取得する新規設備案二つがあった. 各設備の運用年数には違いがないことから対象期間は同じであり, 購入設備はすでに開発されて市場に出回っているので開発費は費用には含まれず, 各案とも, 取得費以下について考えればよいことになり, 費用発生の状況は次の図2-34のように同じになる.

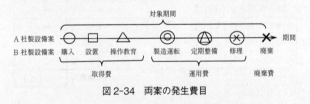

図2-34　両案の発生費目

② 積算表を作る.

次に, 各代替案ごとの発生費目に応じて年ごとの積算表を, ここではA社製設備案の1台目についてのみ示すが, 次のような表2-16を作成する.

なお, 費用線は状況別パターンとなるので台数ごとに積算表を作成しなければならないが, 製造設備の台数に伴っ

表2-16　積算表（A社製設備案の1台目の場合）

年	基本費目	細部費目	金額		
			費用	細部費目合計	基本費目合計
1	取得費	購入費 設置費 操作教育費	・・・ ・・・ ・・・	→・・・	→
	運用費	運転費 電力費【算定○】 保守費 定期整備費【算定①】 修理費【算定○】	・・・ ・・・ ・・・	→	→
2 〜 9	運用費	運転費 電力費【算定○】 保守費 定期整備費【算定①】 修理費【算定○】	・・・ ・・・ ・・・	→	→
10	運用費	運転費 電力費【算定○】 保守費 定期整備費【算定①】 修理費【算定○】	・・・ ・・・ ・・・	→	→
	廃棄費	解体費【算定②】	・・・	→	→
11	廃棄費	解体費【算定②】	・・・	→	→
					総費用
					運用年数　　10
					年間費用　【C_{a1}】

・・・は費用の数字を表す.
【算定○】は算定方法を設定して計算することを表す.
矢印線は合計処理を表す.
波線枠部分は後出の式にある「積算表の共通費用」を示す.

て異なるのは1台目のみにかかる操作教育費と，2台以降にかかる購入費と設置費，解体費のみであるので，台数ごとの積算表は作らないで異なる分を別計算し，次のように表2-16波線枠部分の「積算表の共通費用」にその異なる部分を加算していけばよいだろう.

1台目の年間費用＝<u>積算表の共通費用</u>＋操作教育費＋製
　　　　　　　　　　造設備1台の購入・設置・解体費

2台目の年間費用＝<u>積算表の共通費用</u>＋製造設備2台の
　　　　　　　　　　購入・設置・解体費

　……

10台目の年間費用＝<u>積算表の共通費用</u>＋製造設備10台
　　　　　　　　　　の購入・設置・解体費

③　必要に応じて算定方法を設定する.

　細部費目を書き出したところで,その見積もり方に入る
が,定期整備費については実費が不明のため,定期整備実
績データの分析結果から導出した次式の算定方法で見積も
ることにする.この計算ができるシートを作り,前表にあ
るとおり【算定①】として設定する.

　　定期整備費＝人件費＋機器工具費＋取替部品費
　なお,

　　　　　　　　人件費＝整備時間×整備員人件費/時間
　　　　　　　機器工具費＝整備時間×機器工具使用係数
　　　　　　　取替部品費＝設備使用時間×部品減耗係数
　　　　　　　　整備時間＝設備使用時間×整備係数

　また,解体費について見積もろうとしたが同一設備の経
費実績がないため,次式のように,同種の設備の解体経費
実績を基にして重量比率で換算して類推する.これも同様
に【算定②】の算定方法として設定する.

　　解体費＝同種設備の廃棄費

×（新設備の重量／同種設備の重量）

その他についても必要に応じて各々【算定○】として積算表に組み込み，算定方法を設定していく．

以上の手順に従い，B社製設備案の積算表も作成することによって各代替案の設備台数に応ずる年間費用 C_{a1}〜C_{a10}，C_{b1}〜C_{b10} が各々，累積することで求められ，ちなみにたとえば C_{a2} は次式で求められることになる．

C_{a2}＝1台目の年間費用＋2台目の年間費用

7　効果の予測

(1)　手順内容

ここでは，「モデルの作成」で構築したモデルに環境とか部外，そして，各代替案ごとのシステムの各要因データを入力してシステムからもたらされる効果を求める．求め方は，数式モデルのときは単なる数値計算により，表モデルのときは時系列データから傾向線を求めて生産量を予想したり，戦史データから兵力比に応ずる撃破数を推定するなど，統計処理によるのが一般的である．また，図モデルのときは数人の役者が劇を演ずるように検討場面を設定し，各段階において各々が決心をしたり，サイコロの出た目で状況を進めたりして，その結果を出すシミュレーションという，まさにシステムのマネをするような方法により結果を求めることになる．求め方はさまざまであり，作ったモデルの形態，求め方の容易性を考えて決めればよい．

　なお，将来システムの効果を求めることが多くなること
から，どうしても未定の部分があり，発見度合いとか撃破
能力等といった不確定的なデータを取り扱わざるを得なく
なるため，確率的な事象を処理するのに適しているモンテ
カルロ型シミュレーションという技法が多用されることに
なる．この技法については，拙著の参考文献 [3] を参考に
されるとよい．

(2) 例題の場合

　例題では，手順6で作り上げた効果算定モデルに各デー
タを入力して各代替案ごとの製造量を求める．ここには具
体的な数値は示さないが，各案ごとに異なる，製造速度，
平均修理時間，平均整備時間といったシステムの要因デー
タに注意しつつ計算し，次の表2-17のように求められた
ものとする．

表2-17　代替案ごとの年間製造量

台数（努力）	5台	6台	7台	8台	9台	10台
A社製設備案	$5E_a$	$6E_a$	$7E_a$	$8E_a$	$9E_a$	$10E_a$
B社製設備案	$5E_b$	$6E_b$	$7E_b$	$8E_b$	$9E_b$	$10E_b$

　台数については，新規設備の性能アップを考えれば既存
設備の10台以下の台数で済むはずであり，また，目標の部
品製造量が達成できなくなる台数と考えられる5台以上と
した．
　また，台数に応ずる年間製造量は加算的パターンになる

ことから1台の年間製造量に製造設備の台数を乗じて求めている．つまり，製造設備が複数になったとしても，その間で補完し合うというような交互的な作用はないと見做しており，製造設備を独立的に扱っているわけである．

当然，数が増えたときに相乗効果が現れるような場合には単なる足し算にはならないために効果線は状況別パターンとなり，そのときには，1台の場合，2台になった場合などと，台数に応じてその時々の個別の状況ごとにシナリオを描き，モデルを作成して効果を予測しなければならなくなる．

たとえば，戦闘場面において，戦車とか対戦車ミサイルといった戦闘単位システムを増やしていってその効果を評価する場合，システムが複数になれば単数のときよりも目標の発見も撃破も容易になり，また，配置も変わるはずで，また，集中射撃効果も出てくるので，その数に応じて戦闘様相を設想してシナリオを描き，システム数に応ずる効果が評価できる戦闘効果予測モデルを作成しなければならない．

8 費用の見積

(1) 手順内容

ここでは，「モデルの作成」で作った積算表という費用見積モデルに細部の各費用や算定のために必要なデータ，そ

して運用年数を入力し，各システムに必要となる年間費用
を見積もる．

(2) 例題の場合

　例題では，効果の予測と同様に，手順6で作り上げた積
算表にデータを入力して各代替案ごとの台数に応ずる年間
費用を求める．ここにも具体的な数値は示さないが，各案
ごとに異なる取得費や運用費，廃棄費といった費用や関係
項目に注意しつつ算出し，次の表2-18のように得られた
ものとする．

表2-18　各代替案ごとに要する年間費用

台数（努力）	5台	6台	7台	8台	9台	10台
A社製設備案	C_{a5}	C_{a6}	C_{a7}	C_{a8}	C_{a9}	C_{a10}
B社製設備案	C_{b5}	C_{b6}	C_{b7}	C_{b8}	C_{b9}	C_{b10}

　ここで台数に応ずる年間費用は台数により異なり，費用
線は状況別パターンとなるために，台数ごとに表記を変え
ている．つまり，操作教育費は1台目にしかかからない
し，2台目以降は設置台数に応じて購入費や設置費が逓減
し，また，解体費も一括処理をすることで割引き価格とな
るからである．

9 代替案の比較

(1) 手順内容

ここでは，たとえば各代替案 A，B について，手順7 と手順8 で求められた効果と費用の結果（表 2-17・18）を各々，プロットし，次の図 2-36，37 のように，努力（数，量，期間）に応ずる効果線と費用線を作成する．

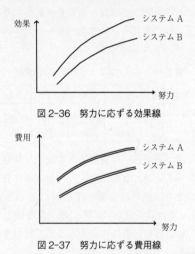

図 2-36　努力に応ずる効果線

図 2-37　努力に応ずる費用線

これらのグラフは手順5 の判定基準のところで表示した図 2-12 の費用効果グラフとは異なる形だが，費用効果グラフは判定基準の説明を分かりやすくするために持ち出しただけで，それはこれらの二つのグラフから作られること

はすでにお分かりだろう．つまり，次の図 2-38 の右側の
ように効果グラフと費用グラフの横軸の努力目盛りを合わ
せて縦軸を揃えて並べ，横軸の同じ目盛りで効果と費用の
値を読み込み，それを同図左側の両軸が効果と費用のグラ
フの目盛りにとり，交差する点を繋げていってグラフを作
成すればよいわけである．しかし，後出の図 2-39 に表し
ているように，実用的には，そこまですることなく，図
2-36 と，縦軸を右端にズラした図 2-37 を，横軸の目盛り
を合わせて上下に並べればよいのである．

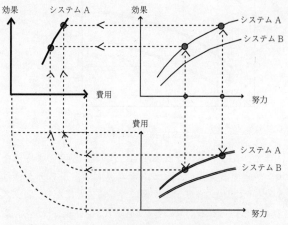

図 2-38　費用効果グラフへの変換

　話を前に戻して，この例の場合，第 1 の基準を採る場合，
次の図 2-39 のようになり，目標とする効果のレベル E_0 を
達成するには，システム A では構成規模 S_a，システム B

では構成規模 S_b でよいことが分かる．ところが，そのために要する費用は各々，C_a，C_b ということになり，安価なシステム B が選択されることになる．

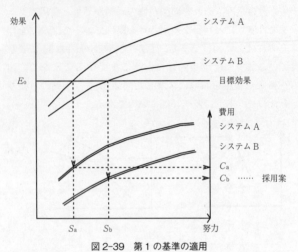

図 2-39　第 1 の基準の適用

また，第 2 の基準を採る場合，次の図 2-40 のようになり，予定する費用 C_o で，システム A は S_a，システム B は S_b という規模のシステムが構成できることになり，各システムから得られる効果は各々，E_a，E_b となることから，より高い効果が得られるシステム B が選択されることになる．

数字の羅列では感覚に訴えにくく，考えなければ分からないのに，図示することにより，各代替案の優劣はもとよ

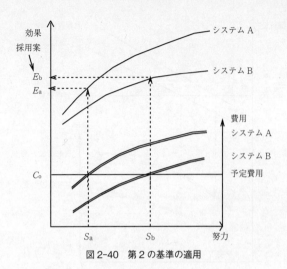

図 2-40　第 2 の基準の適用

り，代替案相互の差とか，その程度などが一目瞭然となっ
て比較しやすくなり，手順 5 で決めた判定基準に応じて望
ましいシステム案を見出すことが容易になるわけである.
実は，これが図の持つ意義なのである.

(2) 例題の場合

　例題では，前に求めた代替案ごとの努力である台数に応
ずる効果と費用の結果をプロットして次の図 2-41 の効果
線と費用線のグラフを作成する. なお，効果線は加算的パ
ターンであることから直線となり，費用線は割引き等によ
り状況別パターンとなり，上に凸になる逓減カーブにな

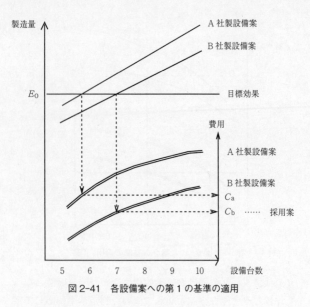

図2-41　各設備案への第1の基準の適用

る.

　ここで，判定基準は第1の基準を採用することになっており，目標とする効果はこれまでの年間受注実績や今後の予定量を推量したところ，達成すべき望ましい部品数はE_0で十分であることが分かったものとする．この結果，費用が最も少ないB社製設備案が推奨され，購入台数は7台でよいことになる．

10　感度分析

(1)　手順内容

　ここでは，効果と費用を算定した際に用いた各種の要因の値を変化させ，それによって結果がどれくらい変動し，あるいは，代替案の優劣にどのような影響をもたらすのかなどについて明らかにする．

　これは，システムはたいてい，これから新たに構築されるものであり，効果予測と費用見積の際にモデルに用いたデータがその時点ではハッキリとしたものでない場合が多いことから，妥当なところで任意に設定したり，確率的に変動して不確定であるにもかかわらず固定したり仮定したりして分析を進めてきており，必ずしも，適確な選択をしているとは言いにくいわけである．したがって，それらのデータにこだわることなく，実際に取り得ると考えられる範囲内の値に変化させてみて，その下で効果と費用を算定し直してその様子を見てみようというのである．

　たとえば，図2-42にあるように，当初，妥当であるとした各種要因のデータの下でシステムＢの方が安価で採用案と決めたものの，ある要因の数値を，起こり得る数値に設定してみたところ，システムＡについてはほとんど影響がなかったが，システムＢについては効果に大きな減少をもたらし，目標達成のためには努力を増やすことが必要になり，併せてそれに伴う費用が多くかかるようになってしまい，システムＡの方が安くなって優劣が入れ替わり，

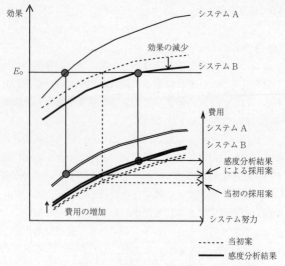

効果

システム A

効果の減少

E_0 ────── システム B

費用

システム A

システム B

感度分析結果
による採用案

当初の採用案

費用の増加

システム努力

------ 当初案
—— 感度分析結果

図 2-42 感度分析による結果

システム B の採用が望ましくなくなってしまったわけで，こういったことを確かめるのである．

　もし，採用案が変わってしまう場合，そういう状況を生起させる要因について十分に調査し，その可能性を突き詰める必要がある．容易に生起するのであれば，採用案の変更を考えなければならないし，それほどまでではないが，いくらかでも生起の頻度が高ければ，そういう状況に陥らないように対策を講じておくことが必要で，その対策がとれるか否かがその代替案の採否を決めることになるだろ

う.

　変化させるデータの幅は, 特性がよく似ている既存のシ
ステムのデータを参考にしたり, 専門家の意見を聞いたり
するなど, 合理的に決める.

　言うまでもなく, 変化させる要因やその数値レベルの数
が多くなると, その組み合わせで算定するケースは膨大な
数になるため, 精選することが肝要である. たとえば A,
B, C という 3 要因で, 各々 3 個のレベルを考えると算定
は 9 ケースではなく, 次の図 2-43 のように, 3 の三乗と,
ベキ乗の関係で急増して 27 ケースに膨らむことになるの
で, ピックアップ的に試算してみて, 影響が少なければ,
その要因を省くようにする.

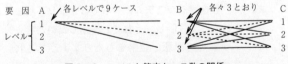

図 2-43　レベルと算定ケース数の関係

　ところで, 感度分析をした時に, ある要因のわずかな変
化により効果が急激に落ち込んだり, あるいは, 費用が急
増するようなシステムがあれば, そのシステムは状況の変
化に対して敏感であり, 極めて不安定であることから対策
がとりにくく, 採用を避けた方が無難であるということに
なる.

なお，不確定的な条件下で代替案を比較し，意思決定する際に「ハンディキャップ分析」と称する方法を用いることがある．これは，

> 競合するシステムに対しては好条件にする一方，採用したいと考えるシステムに対してはかなり不利な条件を設定して評価し，それでも採用したいと考えるシステムの方が良い結果をもたらすことを示してその優位性を立証する

というものである．また，これとは逆の考え方になるが，「ア・フォーショリ分析」といって

> 採用したいと考えるシステムに対しては好条件にする一方，競合するシステムに対してはかなり不利な条件を設定して評価し，それでも採用したいと考えるシステムの方が悪い結果をもたらすようであれば，それは採用しない

という方法もある．

(2) 例題の場合

例題では，まず，効果であるが，

1台の年間当たりの製造量
＝{年間製造予定時間－年間平均修理時間

　　　　　　　　　　－年間平均整備時間}×製造速度
という式で算出された．そこで，大きな変動が予想される
であろう年間平均修理時間，中でも故障率について，これ
までの実績，最近の設備の趨勢等を参考にして変動予想幅
を決め，そのデータの組み合わせで年間当たりの製造量を
算定するのである．ここで，年間製造予定時間については
各案に共通する値であり，各案の効果の差がひっくり返る
ようなことはないことから感度分析から外すことになる．
　　また，年間費用であるが，

$$各設備案の年間費用＝\frac{取得費＋運用費＋廃棄費}{運用年数}$$

という式で算出された．ここでも，大きな変動が予想され
るであろう運用費，中でも修理費について，これまでの実
績，最近の設備の趨勢等を参考にして変動予想幅を決め，
そのデータの組み合わせで各設備案の年間費用を算定する
のである．ここで，取得費，廃棄費，運用年数については
ほとんど変わることはないことから，感度分析から外すこ
とにした．
　　その結果，最悪のケースとして次の図 2-44 のようにな
ったとしよう．
　　図のような結果となったのは次の理由によるものであっ
たとする．
　・A 社製設備案～多く出回っている安定した設備であ
　　り，故障時の復旧に強いことから故障が多くても効果
　　の低下は少なく，また，入手した使用実績からも修理

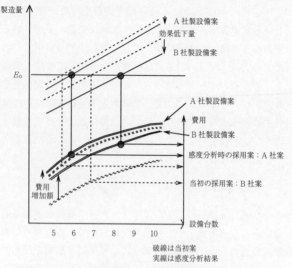

図 2-44　各設備案についての感度分析結果

　費はわずかしかかからないので費用は少ししか増えない.
・B 社製設備案～A 社製よりは故障時の復旧に弱く, 故障がわずかに増えるとそれに伴う効果の低下は多めになり, また, 修理費も高く, 費用はかなり多くなる.
　これから見ると, B 社製設備案の変動がやや多く, 目標の製造量達成はどうにか間に合うという状態であり, 受注が少し多くなった場合に対応できなくなるおそれもある. また, 費用も, 場合によっては A 社製と変わらないことに

もなりそうである.

　これらに対し, A社製設備案の変動は小さく, 将来の発
注増に耐えることも容易で, 費用は少々かかるが安定して
いる.

　以上の考察により, 感度分析結果の観点からは, 費用は
多くかかるが, A社製設備案を採用することが望ましく,
しかし, 6台では目標達成ギリギリになることから余裕を
とって7台購入することが望ましく思われるという結論を
出すことになる.

11　未考慮要素についての考察

(1)　手順内容

　ここでは, これまで考慮に入れていなかった要素を検討
し, それが分析結果にどのような影響を及ぼすのかを調べ
て分析結果の妥当性について考察する.

　分析を始めるに際して, 国内の政策とか経済状況, 関係
国の軍事情勢といった, 先行きが不明であったり, 勝手に
操作できない事柄等については, 前提としたり, 仮定を置
いて固定的に扱わざるを得なかったこと等があり得るわけ
で, そのような
　・検討の枠外にしてきた要素
について, 改めて分析内容を見直したり, その後, それら
の新たな進展, 変化によって結論にどのような影響を及ぼ
すのかなどについて考察する.

特に，システム分析の持つ総合的検討といった特性上，どうしても取り扱うことが多くなるのであるが，愛国心とか伝統，士気などといった

・定量化が難しいために十分に取り込めなかった精神的要素

についても，その後，新たに判明した事実，研究成果等に照らして分析結果を眺め直してみるのである．

老朽化したエアコン

心頭滅却すれば火もまた涼し！

なお，たいていのシステム分析は長期間を要するものであることから，その間に

・新たに発生したり，変化，消滅した要素

についても確認し，要すれば分析結果を見直してみる．

(2) 例題の場合

例題で言えば，最近，環境問題が取り沙汰されていることから，大気汚染とか騒音についての規制が新たに設けられていないかなどと調べ，あれば，各代替案の製造設備から発する排煙とか騒音が規制に引っかからないのか，各代替案にどのような影響を及ぼすのかなどについて考察し，採用案の妥当性を確かめるのである．

　もし，いくらかの対策費が必要になるとなれば，改めて費用見積の手順からやり直すことになる．時には，かかっていた規制が外れていて，それまでその費用を取り込んでいたとなると差し引いてやり直すこともあるだろう．

　また，設備を高性能の A 社製設備に更新すれば，工具の意欲増進という精神的効果も期待されることから A 社製設備案の採用は望ましいということになる．

12　勧告案の決定

(1) 手順内容

　ここでは，検討して得られた最終的な結果について関係者らから意見を聞き，総合的に考えて意思決定者に勧告する案を決める．

　勧告案を決める際，関係者らから意見を聞くのは，分析に入れ込み過ぎて方向を誤っていたり，あるいは，見落としている要素があるかもしれないからである．特に，検討範囲の設定や，尺度の決定，シナリオやモデルの作成等において妥当性を欠いていないか確かめることである．そのため，まずは，身内や素人の人にも聞いて意見をもらうことが大切である．岡目八目で，素朴な疑問を持たれる場合があり，これが良い意見になることは多いのである．次いで，その道の専門家からも意見を聴取し，結論のバランス性や妥当性などについて確認し，特に問題点があればその対策を講じて最終案を決めるのである．その時点で対策が

とれない件案については「残された課題」として付記する.

(2) 例題の場合

　例題で言えば, 最初, 二つの代替案を比較した結果はB社製設備案が最良であったが, 感度分析したところ, B社製は故障時の復旧に弱く, それに伴って効果の低下は多めになり, また, 修理費の増加も多額になる可能性は大いにありそうで, 目標未達成の場合の対策がとりにくいことから, 費用はやや高くなるが, 必成目標を容易にクリアするA社製設備案で7台購入することを勧告することになった. ここで, 採用案でよいのか, 工員の意見を聞いたり, 同業者の動向も調べるなど, 勧告案の適切性を関係者に確かめて決定するのである. しかし, 採用案では工員が7人いればよく, 今まで10人いたうちの他の3人の処遇をどうするのか, そのまま交替制にして勤務させるのか, 職務変更するのかなどについて決めておく必要があり, 当面, 解決は難しいとなれば, これを「検討を要する課題」として付記するのである.

13　報告

(1) 手順内容

　ここでは, 一例ではあるが, 次の項目について内容を記述した報告書を作成し, それに基づいて意思決定者に報告する. やはり端的に, 結論である勧告案を先に述べること

をお薦めする．その後，その勧告案にいたった経緯を伝え
るという形で細部を説明していった方がよいと思う．報告
を受ける側としては，結論である勧告案という灯台のよう
な確たるものを見据えて話を聞いた方が理解しやすいと思
う．何か基になるものがなくて彼方此方に揺す振られて話
を聞くというのは船酔いするようで，聞きづらいものであ
る．

1　勧告案
　　(1)　勧告案　　(2)　理由　　(3)　検討を要する課題
2　問題の定式化
　　(1)　立場　　(2)　分析の目的　　(3)　解くべき問題
　　(4)　検討範囲
3　達成すべき目標
　　(1)　目標　　(2)　理由
4　効果の測定尺度
　　(1)　測定尺度　　(2)　理由
5　代替案
　　(1)　代替案　　(2)　特性分析
6　判定基準
　　(1)　判定基準　　(2)　理由
7　モデル作成
　　(1)　前提とするシナリオ　　(2)　効果予測モデル
　　(3)　費用見積モデル
8　効果の予測

(1) 予測結果 (2) 前提 (3) 予測条件

9 費用の見積

(1) 見積結果 (2) 前提 (3) 見積条件

10 代替案の比較

(1) 比較 (2) 考察

11 感度分析

(1) 分析結果 (2) 分析条件の範囲とその理由

12 未考慮要素の検討

(1) 未考慮要素 (2) 検討結果

特に，報告書をまとめる時には使用したデータの出所，出典を明確にする．誰が，いつ，どこで述べた意見なのか，何という資料なのか，その名称，作成年月日，作成者等について明示する．データは，それによって結果が大きく左右される重要な根拠事項であり，確認，見直し等に備えておくのである．

報告書を作っておけば，なぜ，あの時，あのような決心をしたのか，その時の判断基準は何だったのかなどと，思い返す時の，あるいは，事後，決心する際の参考になるものである．

また，報告する際に気を付けることは，その道の専門家にありがちだが，数字に囚われ，その羅列，説明に終始してはならないということであって，

その数字が持つ真の意味を述べる

ことである．どうしても，「数値をいくらに設定した」とか，「そうすると効果はいくらになった」などと数字の説明になってしまいがちなのである．そうではなく，「その数値の意味は……という場合を言うのであり，そうなると効果は……の理由で大きくなる」というように具体的な事柄を述べることである．つまり，定量的結果を定性的に説明するということである．

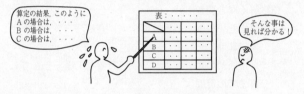

(2) 例題の場合

　例題で言えば，報告書は次のように列挙形式でまとめていく．

1　勧告案
(1) 勧告案
　　A社製設備案で7台購入する．
(2) 理由
　　……
(3) 検討を要する課題
　　採用案では工具が7人いればよく，今まで10人いたうちの他の3人の処遇をどうするのか，そのまま

交替制にして勤務させるのか，職務変更するのかな
どについて決めておく必要がある.
2　問題の定式化
(1)　立場
　　工場主
(2)　分析の目的
　　工場の存続
(3)　解くべき問題
　　望ましい後継の製造設備
(4)　検討範囲
　ア　空間的には，要素としての設備と工場，そして工
　　員までの範囲
　イ　時間的には，今後，10年間.
　　製造設備の設置から運転，製造，保守，廃棄といっ
　　た場面と，工員の採用，教育，退職までの事柄を考
　　慮.
　　別図：体系構造図
3　達成すべき目標
　　……
12　未考慮要素の検討
　　……

また，報告時の説明に際しては，たとえば効果の予測結
果の説明の際，「B社製設備案の製造量がA社製よりも少
なくなるのは，修理時間がA社製よりも3割程度長くか

かるためで，……」というように実体的に話し，決して「B
社製設備案の製造量が○○となるのは，A社製の修理時間
が○○時間であるのに対して，B社製は○○時間と長いた
めで，……」などと数字だけを並べないようにする．

　以上でもって「同質の機能を果たすシステム案の中から
選択する場合」における費用効果分析によるシステム分析
の方法についての説明を終わる．

第3節　異質の機能を果たすシステム案の中から選択する場合

　前節では，部品を製造するという同種の機能を果たす設備案の中から望ましいシステムをどのようにして選んだらよいのかという問題を扱った．ここでは，異質の機能を果たす設備案の中から，どちらを，どのようにして選択すればよいのかという，次の例題2を扱い，その場合の費用効果分析によるシステム分析の方法を述べる．

【例題2】　製造設備の更新か空調設備の更新かの選択問題
　例題1と同様に，貴方は，ある部品を製造する下請けの町工場の主である．例題1の分析結果に基づいて，老朽化した現有の製造設備を更新するためにA社製設備7台を購入しようとしたところ，社内から，それよりも設置されている10台の空調設備が頻繁に故障するのでその方を更新してほしいとの強い意見が出されたため，いずれを選択したらよいのか決めようとしているとする．貴兄ならばどのように考えて意思決定をされるだろうか．

　なお，本項についての手順は例題1と同じであることから，内容が例題1と異なるものに限定して説明することにした．すなわち，手順10の「感度分析」までを説明し，手

順11の「未考慮要素についての考察」以下については，例題1と共通的な内容となるので省いている．また，各手順の内容についての説明も例題1で済んでいるので省き，例題の場合の分析方法のみについて述べることとする．

1　問題の定式化

【目的の確認，体系構造図の作成および真の問題の確認】

　例題では製造設備と空調設備のいずれを更新すべきか，その選択をすることになってしまっているが，まずは，これまでの経緯を辿り，なぜ，そうするようになってしまったのか考え直してみる．

　目的，体系構造図は例題1と同じであるが，思い出してみれば，当初，製造設備の老朽化ばかりに目がいっていて，その更新を考えていたところに，工具から，空調設備の故障が多く，工場内が蒸し暑いとか，寒いから何とかしてほしいなどと，修理か更新についての意見が出始めたのである．その結果，製造設備と空調設備のいずれを更新すべきかと考えることになってしまったのである．

空調設備の更新　　　　　　　　　　　　　製造設備の更新

引き続いて図3-1の体系構造図を見渡して真の問題につ

いて検討してみたものの，ここでも，従来どおりの体制が確認されて不確定要素はなく，しかし，製造のみならず，職場環境の整備の大切さにも気付き，やはり，「製造設備と空調設備のいずれを更新すべきかの選択」が真の問題になることが確かめられたとしよう．

ここで，前々から工場の老朽化が叫ばれていることを思

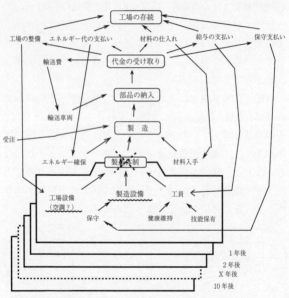

[目的達成要素の状態推移]
・製造設備および空調設備：取得，運用，保守，廃棄．
・工員：採用，教育，健康診断，退職．

図 3-1　体系構造図

い出したとすれば，図 3-1 にあるように，工場の整備は最
上位の目的である工場の存続のための達成要素であること
から，それより下位の目的の達成要素である設備の更新は
後回しの問題となり，まず，考えなければならない真の問
題は「工場の建て替えの要否」とか「工場の在り方」，ある
いは，「工場の建て替え時期」などといった事柄になるはず
である．

【検討範囲】

　目的と問題が明らかになったところで次に検討の場を考
えるが，図 3-1 にあるように，ここでも製造設備か空調設
備の不調によって「製造体制」の目的のところで最上位の
目的達成の連鎖が途絶えることになるので，そこにぶら下
がる，図の太枠線で囲んだ範囲を検討範囲とするのであ
る．つまり，空間的には，要素としての製造設備と保守，
工場設備，そして工具までの範囲とするのである．また，
時間的には，目的達成要素の状態推移にあるように，製造
設備と空調設備の取得・設置から運転，製造，保守，廃棄
といった場面と，工具の採用，教育，退職といった事柄に
ついてまで考える必要があり，ここでも切りのよい，設
備・機器の耐用年数としての十年間を考えることにする．

　以上のように考えた結果，今後，十年間にわたって「工
場を存続」させるためには，製造設備と空調設備のいずれ
を更新すべきか，それを設備についてはその取得・設置か

ら運転，製造，保守，廃棄といった場面を，工具について
は採用，教育，退職といった事柄までを考えて決めること
が問題となるわけである．

2 達成したいと望む目標の明確化

　ここでも最上位の目的は「工場の存続」であり，例題1
と同様となるが，製造設備と空調設備が構成要素となって
いる目的「製造体制」の上位の目的である納品のための
「製造」の目的を達成するためには，「受注した数量の部品
（What）を納期（When）までに製造できること」が必要な
はずで，これが達成目標となるのである．

3 目標の達成度合いを測定する尺度の決定

　達成目標は「受注した数量の部品を納期までに製造でき
ること」であることから，ここでも例題1と同様に考えて，
尺度は「年間当たりの製造量」とする．

4 代替案の列挙

　ここでは，当初から考えていた製造設備更新案と空調設
備更新案，つまり，従来の空調設備10台をオーバーホール
して継続して使用しながらＡ社製設備7台を購入する製
造設備更新案と，従来の製造設備10台をオーバーホール
して継続して使用しながら空調設備10台を購入する空調
設備更新案という次の二つの代替案を取りあげることにす
る．したがって，例題2では例題1とは異なり，システム

規模を固定した代替案について分析を進めることになる.

・ 製造設備更新（空調設備継続使用）案
・ 空調設備更新（製造設備継続使用）案

　ここで，もう少し安い製造設備といくらか低価格の空調設備を考えて両方同時に更新するとか，製造設備と空調設備を半数ずつ更新するなどという第3，第4の案も思い浮かぶが，話を簡単にするために省くことにする.

　代替案が決まったところでその特性を分析して次の表

表3-1　特性表（一部）

代替案	特　　　　　　　　性	
	効　果　面	費　用　面
製造設備更新（空調設備継続使用）案	・製造速度が速い. ・製造設備の定期整備時間が短い. ・製造設備の故障は少ないが修理期間が長い. ・空調オーバーホール済み. ・空調が故障しやすく，温度管理が難しい.	・製造設備の取得費が高い. ・製造設備の操作教育を要する. ・製造設備の保守費は安い. ・空調の保守費は高い.
空調設備更新（製造設備継続使用）案	・製造速度が遅い. ・製造設備の定期整備時間は長い. ・製造設備の故障は多いが修理期間は短い. ・製造設備オーバーホール済み. ・空調は新しく，温度管理が容易.	・製造設備の保守費は高い. ・空調の取得費は安い. ・空調の保守費は安い.

3-1のようにまとめ上げる．製造設備更新（空調設備継続使用）案は製造能力に優れるが，空調の不具合に足を引っ張られるという姿であるのに対して，空調設備更新（製造設備継続使用）案は，製造能力は劣るが，空調の整った快適な環境の下で頑張っていこうという姿が浮かび上がる．

5 判定基準の決定

例題では，予算が決まっていて，その範囲内でまかなおうというものではなく，「年間当たりの製造量」という，達成したい効果がハッキリしていることから例題1と同じく第1の基準を用いることにする．すなわち，年間の目標製造量 E_o が定まっているので，その数を製造するのに最も少ない費用で済むシステム案を選ぶのである．

6 モデルの作成

前章で説明した次の作成手順にしたがって作成する．

① シナリオを作成する．

② 効果予測に関係する要因と，費用見積に計上すべき費目を見出す．

③ 効果予測と費用見積のモデルを作成する．

なお，費用効果グラフは，例題1とは異なり，代替案の列挙のところで述べたように，定まった規模のシステムの比較となり，システムの運用時間で効果を上げることからタイプⅢとなることを念頭に置いてモデルの作成に取り組む．

① シナリオを作成する

　ここでは，空調設備更新（製造設備継続使用）案については前章の継続使用案と同様であることから省くことにし，老朽化した空調が部品製造にどのように関わってくるのかを明らかにするという，その関係性を見出すのにいくらか難のある，少し特異な場合においての考え方を説明するために，製造設備更新（空調設備継続使用）案についてのみシナリオを描くことにする．

　まずは状況図として第2節の図 2-32（p. 117）と同じ図を描くことになる．ところが，たとえば，製造速度が速いという特性から部品製造がどのような状況になるのかというようなことは容易に想像がつき，図もシナリオもスラスラと描けるだろうが，ここで取りあげる老朽化した空調の度重なる故障が部品製造にどのような影響を及ぼすのかということになると，なかなか思い付かないと思う．そんな場合にお薦めしたいのが，第2節の手順1（p. 28〜49）でお話しした，次に示すような定性分析をすることで，この結果をもとに図示化すればシナリオが描きやすくなると思う．

　定性分析は，まずは思い付くままに生起する事態をメモ用紙に書き上げ，それを図 3-2 のように展開し，それらの因果関係を考えて矢印線で結ぶようにする．出来上がりは絡み合って複雑になっているだろうから，整理して見やすくすることである．初めから順序立てて生起する事態を考えていると折角思い付いた事柄を忘れてしまうので，演繹

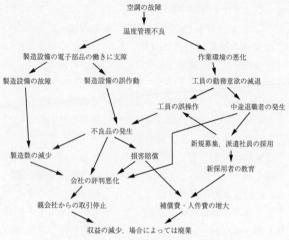

図 3-2　定性分析図（空調不良による影響）

的とか帰納的な方法により，あるいはこれらを取り合わせ
たりして，とにかく，行きつ戻りつしながら書き出してい
くことが肝要である．

　定性分析で様相を摑んだところで状況図を作成すること
になる．すなわち，製造設備製作会社から設備が納められ
て部品を製造するが，頻繁な空調の故障に伴って不良品と
か退職者が発生し，その補償や補充の処置をしつつ運営
し，運用年数が過ぎて廃棄される，という状況がイメージ
できて次のような図 3-3 を描く．

　先の定性分析図とこの状況図を踏まえながらシナリオを
描くと，一部を示すが，次の表 3-2 のようになる．

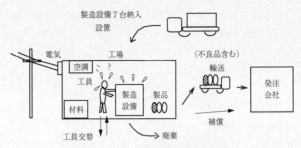

図3-3 状況図（製造設備更新案の場合）

表3-2 シナリオ

段階	代 替 案
	製造設備更新（空調設備継続使用）案
開発	・市販品のため，該当事項なし．
取得	・製造設備7台購入．納入設置． ・取説受け取り． ・新規設備のため，操作教育受け． ・空調のオーバーホールで延命処置．
運用	・工具が，休日を除き，部品を高速製造．製造設備の製造量は1台分に7を掛けた量になる． ・空調が故障しやすいために温度管理ができなくなることから設備の誤作動と工具の誤操作を引き起こし，不良部品が発生する． ・労働環境が悪く，退職者が出ると新規に工具を採用するか，派遣工具の受け入れとなり，操作教育を実施したり，技能レベルの低下もあり，製造効率が低下する． ・退職に伴い，臨時の退職手当，新規工具の採用等の人件費が増える． ・不良発生に伴い，損失補償費が必要になる．また，会社の評判や信用を損なうおそれもある． ・製造設備，空調の定期整備は共に年1回．期間は1日． ・製造設備の故障は平均して3年に1回で，修理期間は一週間．空調は年に平均6回で期間は1日．
廃棄	・製造設備は運用年数10年で更新予定． ・空調は延命修理をするので運用年数10年で更新予定． ・廃棄は製造設備，空調を一括処理．

② 効果予測に関係する要因と，費用見積に計上すべき費
目を見出す

シナリオから想起される関係要因と発生する費目を見出
して次の表3-3を作成する．

③ 効果予測と費用見積のモデルを作成する

【効果予測モデル】

尺度は「年間当たりの製造量」であるので，それを求め
ることができるモデルを作ることになるが，前章で説明し
た次の作成手順にしたがって述べることにする．

　　a　モデル化しやすくするために対象を図示する．

　　b　効果が要因でもって導き出されるまでの関係を数
　　　式，図，表等で表す．

なお，効果線はシステム運用期間の経過に伴って増加す
ることになるが，尺度は「年間当たりの製造量」であり，
シナリオにあるとおり，状況が途中で変化することはない
ことから時間経過に伴って逐一製造量を予測する意味はな
いため，製造設備1台の一年間分の製造量を一括して予測
するモデルを作成する．したがって，年間の全製造量はこ
れに台数の7を掛けて求めることになる．

a　モデル化しやすくするために対象を図示する

まずは，シナリオにあった設備の年間の運転状況を想像
しながら次のような図3-4を描く．

第 3-3　シナリオ要因費目表（製造設備更新（空調設備継続使用）案
の場合）

段階	シナリオ（簡略化）	効果に関係する要因	費用に計上する費目
開発	・市販品のため，該当事項なし．		
取得	・製造設備7台購入．納入設置． ・取説受け取り． ・新規設備の為操作教育受け． ・空調のオーバーホールで延命処置．		・購入費 ・設置費 ・操作教育費 ・空調オーバーホール費．
運用	・工具が，休日を除き，部品を高速製造．製造設備が増加した場合，製造量は1台分に7を掛けた量になる． ・空調の故障で温度管理が困難となって設備の誤作動と工具の誤操作に依り不良部品が発生する． ・労働環境悪化に伴って中途退職者発生．新規の工具となり，操作教育の実施，技能レベルの低下等に依り製造効率が低下する． ・退職手当，新規工員の採用等の人件費が増える． ・不良品発生への損失補償が必要になる．また，会社の信用を損なうおそれもある． ・製造設備，空調の定期整備は共に年1回．期間は1日． ・製造設備の故障は平均して3年に1回で，修理期間は一週間．空調は年に平均3回で修理期間は1日．	・年間製造予定時間 ・製造速度 ・年間平均不良品発生件数 ・年間平均定期整備時間 ・年間平均修理時間 ・年間平均中途退職者数 ・工員総数	・運転費（人件費，電力費）　※ ・（年間平均不良品発生件数） ・不良品一件当たりの損失補償費 ・（年間平均中途退職者数） ・退職者一人当たりの対応人件費 ・両設備の定期整備費（人件費，工具・部品費） ・両設備の修理費（人件費，工具・部品費）
廃棄	・製造設備は運用年数10年で更新予定． ・空調は延命修理をするので運用年数10年で更新予定． ・廃棄は製造設備，空調を一括処理．		・（運用年数） ・廃棄費

※　（　）内は費用見積に関係する内容・細部費目を記述．

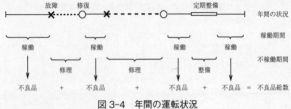

図 3-4　年間の運転状況

b　効果が要因でもって導き出されるまでの関係を数式，
　　図，表等で表す

　前図とシナリオ要因費目表を踏まえて，効果の予測に必
要な要因として年間製造時間，修理時間，整備時間，製造
速度，製造効率，不良品の数を考えながら次のように1台
分の基本式を立てる．

　　　1台の年間当たりの製造量
　　　　＝年間当たりの製造量
　　　　－年間当たりの平均不良品数
　ここで，
　　　年間当たりの製造量＝年間製造時間×製造速度
　　　　　　　　　　　　　　×製造効率
　　　年間製造時間＝年間製造予定時間－年間平均修理時間
　　　　　　　　　　－年間平均整備時間
　　　製造効率＝$1-\dfrac{年間平均中途退職者数}{工員総数}\times 10$
　ただし，
　　　年間平均修理時間＝年間平均故障回数

$$\times 1\ 回当たりの平均修理時間$$

という部分的な関係式を用いることによって

$$1\ 台の年間当たりの製造量$$
$$=\{年間製造予定時間$$
$$-年間平均故障回数 \times 1\ 回当たりの平均修理時間$$
$$-年間平均整備時間\}$$
$$\times 製造速度 \times \left\{1 - \frac{年間平均中途退職者数}{工員総数} \times 10\right\}$$
$$-年間当たりの平均不良品数$$

という数式モデルが作り上げられることになる.

　なお，製造効率については確たる根拠はなく，欠員とか新人の割合の 1/10 程度の効率低下があるのではと考えて定式化したものである. これについてはデータを固定しないで感度分析において見直すことが必要である.

　また，年間当たりの不良品数や故障頻度についても，これまでの不良率の推移の統計データとか実績等から推定して設定するようにする. 特に，空調が頻繁に故障し始めた頃から，製造設備の異常作動やら作業ミスなどによって不良品が発生したり，故障も出ている状況から推察することになる.

　さらに，中途退職者数については，空調の年間故障延べ日数割合が小さい時は効き目が良いために少ないが，割合がある程度大きくなれば温度管理が行き届かなくなって急激に多くなっていくだろうと推察し，実績も参考にして次の図 3-5 のように設定した.

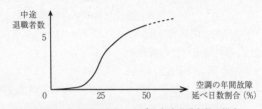

図 3-5　空調更新台数に応ずる中途退職者数の推定

　もちろん，これは確定的なものではないことから，これ
で済ませられる訳ではなく，今はとりあえずこれを前提に
分析を進め，後の感度分析においてグラフの形や人数を変
えたりして見直すことになる．

　システム分析では取り扱う対象が将来のことであった
り，人間が多く関わったりするためにすべてが明らかであ
ることはほとんどなく，したがって，実績を参考にしたり，
行動心理学の力を借りたり，識者の意見を聞いたりして論
理的に思考を進めていって仮説を置いたり，妥当な設定を
するということはどうしても多くなるのである．

　以上のようにして，各代替案の効果は次の式でもって求
められることになる．

　製造設備更新案の 1 台の年間当たりの製造量：

　　E_a＝{年間製造予定時間（固定値）

　　　　　　－年間平均故障回数$_a$×1 回当たりの平均修理時間$_a$

　　　　　　－年間平均整備時間$_a$}

$$\times 製造速度_a \times \left\{ 1 - \frac{年間平均中途退職者数_a}{工員総数(固定値)} \times 10 \right\}$$

$$- 年間当たりの平均不良品数_a$$

空調設備更新案の1台の年間当たりの製造量：

$$E_c = \{ 年間製造予定時間(固定値)$$

$$- 年間平均故障回数_c \times 1回当たりの平均修理時間_c$$

$$- 年間平均整備時間_c \}$$

$$\times 製造速度_c \times \left\{ 1 - \frac{年間平均中途退職者数_c}{工員総数(固定値)} \times 10 \right\}$$

$$- 年間当たりの平均不良品数_c$$

ここで，小文字の添え字 a, c は各々，製造設備更新案，空調設備更新案を意味し，当該データであることを示す．

なお，ここでも，故障や不良品の発生数が年ごとに大きく変化するような場合には1年分だけの稼働期間を対象にするのではなく，運用年数全体にわたって年ごとの年間製造量を合計し，それを運用年数で割って年間当たりの製造量を求めるようにする．

【費用見積モデル】

ここでも前章で説明した次の作成手順にしたがって述べることにする．

　a　対象期間における費用発生状況を描く

　b　積算表を作る

　c　必要に応じて算定方法を設定する

なお，運用期間における費用は，シナリオで設定したと

おり，年間を通して一括して見積もれる状況にあることから，費用線が一年一括の加算的パターンで描けるようにモデルを作成する．

a　対象期間における費用発生状況を描く

例題には，従来の空調設備を継続して使用することにな

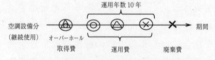

図 3-6　製造設備更新（空調設備継続使用）案の費用の発生

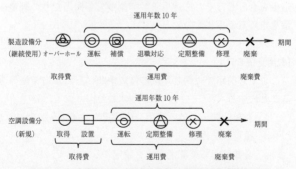

図 3-7　空調設備更新（製造設備継続使用）案の費用の発生

る製造設備更新案と，従来の製造設備を継続して使用する
ことになる空調設備更新案とがあるが，シナリオ要因費目
表にあったように，それぞれの費目は図3-6・7のように違
うことになるため，発生費用の算定は異なるし，また，例
題1とは違って，製造設備と空調設備の両者について算定
することが必要になってくる．

b　積算表を作る

　ここには，両案のうち，特異的な製造設備更新（空調設
備継続使用）案の一つに絞って，図3-6を参照しながら，
第2節の表2-12（p.111）に従って次の表3-4・5のように
タイプⅢの加算的パターンの積算表を作る．空調設備更新
（製造設備継続使用）案については同様の内容になるので
これを参考にしてほしい．

　以上の二つの積算表から製造設備更新（空調設備継続使
用）案の運用期間における費用が見積もられ，同様にして
空調設備更新（製造設備継続使用）案の費用も算出する．

c　必要に応じて算定方法を設定する

　ここでも空調設備更新（製造設備継続使用）案について
は省き，製造設備更新（空調設備継続使用）案について述
べるが，表3-4と表3-5にある【算定③】から【算定⑦】
については，第2節の表2-10にあるような算定方法を設
定する．

　なお，補償費の【算定①】と退職対応費の【算定②】に

表 3-4　積算表（製造設備更新（空調設備継続使用）案の場合の
製造設備分）（タイプⅢ，加算型パターン）

年	基本費目	細　部　費　目	金　額		
			費　用	細部費目合計	基本費目合計
1	取得費	購入費　本体費 設置費 操作教育費	・・・ ▶ ・・・ ▶ ・・・ ▶	・・・ ・・・ ・・・	
10	廃棄費	解体費【算定⑤】	・・・ ▶	・・・ ▶	・・・
				総費用	・・・
				運用年数	10
				年間費用（運用費除く）	【C_{am}】

運用期間	基本費目	細　部　費　目	金　額		
			費　用	細部費目合計	運用費用
年間	運用費	運転費　電力費 補償費【算定①】 退職対応費【算定②】 保守費　定期整備費【算定③】 修理費【算定④】	・・・ ▶ ・・・ ▶ ・・・ ▶ ・・・ ・・・ ▶	・・・ ・・・ ・・・ ・・・ ▶	▶【C_{amo}】

・・・は費用の数字を表す.
【算定○】は算定方法を設定して計算することを表す.
矢印線は合計処理を表す.

ついては，実データを参考にして，例えば次のような式を
設定する.

　　　補償費＝不良品一件当たりの対応補償費
　　　　　　　　×年間平均不良品発生件数
ただし，対応補償費＝部品販売価格×10
　　　退職対応費＝退職者一人当たりの対応人件費
　　　　　　　　×年間平均中途退職者数

表 3-5　積算表（製造設備更新（空調設備継続使用）案の場合の
　　　　空調分）（タイプ III，加算型パターン）

年	基本費目	細　部　費　目	金　額		
			費　用	細部費目合計	基本費目合計
1	取得費	オーバーホール費	・・・	→・・・	→・・・
10	廃棄費	解体費【算定⑤】	・・・	→・・・	→・・・
			総費用		・・・
			運用年数		10
			年間費用（運用費除く）		【C_{aa}】

運用期間	基本費目	細　部　費　目	金　額		
			費　用	細部費目合計	運用費用
年間	運用費	運転費　電力費	・・・	→・・・	
		保守費　定期整備費【算定⑥】	・・・		
		修理費【算定⑦】	・・・		【C_{aao}】

・・・は費用の数字を表す.
【算定〇】は算定方法を設定して計算することを表す.
矢印線は合計処理を表す.

ただし，対応人件費＝平均退職手当費/2＋新工員教育費
　　　　　　　　　　＋派遣工員報酬/2

　これらの妥当性については世間の相場や事例を参考にし
て見直すことも必要になるだろう.

7　効果の予測

　効果予測モデルに各代替案ごとの要因データを入力し，
その効果を求める. ここには具体的な数値は示さないが，
特に，各案ごとに異なる，製造速度，平均修理時間，平均
整備時間，不良品総数といった特性データに注意して算出

する．これらのデータについてはカタログデータを用いたり，過去の統計データ等から推定する．

その結果，各案ごとの製造設備1台当たりの効果は各々，E_a，E_cであるので，製造設備更新案，空調設備更新案による年間総製造量は，各々の台数が7台と10台であることから次の表3-6のようになる．

表3-6　各案ごとの年間総製造量

代　替　案	年間総製造量
製造設備更新案 （旧空調設備10台）	$7E_a$
空調設備更新案 （旧製造設備10台）	$10E_c$

8　費用の見積

費用見積モデルの積算表に各代替案ごとの費用と算定用のデータ，運用年数を入力して年間費用を見積もる．ここにも具体的な数値は示さないが，ここでも，各案ごとに異なる，年間平均不良品発生件数，年間平均中途退職者数等といったデータに注意して算出する．

その結果，製造設備更新案，空調設備更新案の各案の費用は次の表3-7のように求められることになる．

データについては過去の統計データ等を活用するものの，場合によっては，カタログ価格を参考にしたり，意見を聴取して推定することになる．

ここでも故障の頻度や中途退職者数，不良品発生件数に

表3-7　両代替案の費用

代　替　案	機器区分	運用費除く年間費用	運用費用	合計
製造設備更新（空調設備継続使用）案	製造設備分	C_{am}	C_{amo}	C_a
	空調分	C_{aa}	C_{aao}	
空調設備更新（製造設備継続使用）案	製造設備分	C_{bm}	C_{bmo}	C_b
	空調分	C_{ba}	C_{bao}	

ついては，効果予測モデルのところで持ち出した推定式を用い，そのデータを基に必要な費用を見積もるようにする．

9　代替案の比較

前に求めた代替案ごとの効果と費用の結果からグラフを作成する．ここで，判定基準は第1の基準を採用することになっており，目標とする効果を例題1と同じ E_o として代替案を比較する．

その結果，効果と費用のグラフは次の図3-8のようになり，費用が少ない空調設備更新案が推奨されることになる．

やはり，製造設備更新案は高価な設備自体の取得費を始めとして，空調故障による不良品や離職者発生に伴う損失費用がかさみ，費用が多くかかるようになるのである．また，空調設備更新案は費用が安く上がるうえ，不良品の発生が抑えられ，労働意欲も向上するために高い効果が維持

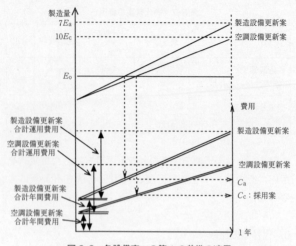

図 3-8　各設備案への第 1 の基準の適用

できるのである.

10　感度分析

まず効果であるが，各案の一台の年間当たりの製造量は
次の式で算定していた.

1 台の年間当たりの製造量

＝{年間製造予定時間

　　－年間平均故障回数×1 回当たりの平均修理時間

　　－年間平均整備時間}

$$\times 製造速度 \times \left\{ 1 - \frac{年間平均中途退職者数}{工員総数} \times 10 \right\}$$

　　　一年間当たりの平均不良品数

　また，費用は次の式で算定していた．

　　　費用＝製造設備分費用＋空調分費用

　そこで，例題1と同様に，大きな変動が予想されるデータの変動予想幅を決め，効果である年間当たりの製造量と，費用である運用費を除く年間費用と運用費用を求めるのである．特に，不良品に伴う損失補償費とか年間退職者数といった推定データについては安全を考えて広く変動させ，各システム案の堅固性を確認することである．

　その結果，最悪のケースでも次の図3-9のようになったとしよう．

　図3-9のような結果となったのは次の理由によるものであったとする．

　・製造設備更新案～空調の故障度合いがわずかに大きくなるだけで不良品の発生が多くなりやすく，その対応のために製造数が極端に減少することがあり，また，離職者に伴う費用が多くなるため，将来に不安が残る．

　・空調設備更新案～空調の故障度合いを大きくしても新規のためにその影響が少なく，工具の勤務意欲の向上に伴い効果の低下も少なく，また，不良品の発生も離職者も少なくて費用の増加も少なく，将来的にも安定している．

　この感度分析結果の観点からは，代替案の入れ替わりはなく，やはり，空調設備更新案を採用することが望ましく思われるという部分的な結論を出すことになる．

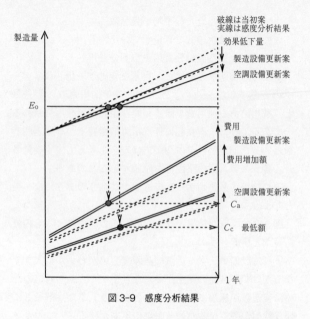

図3-9 感度分析結果

　以下の手順については，例題１の場合の同様の内容になるので説明は省き，以上でもって第２章のシステム分析の方法を締めくくることにする．

第3章　システム分析の沿革

1　システム分析の源を辿る

　これまでシステム分析の方法について述べてきたが，締めくくりとしてシステム分析の芽生え，伝承の経緯等について，参考文献［4］を基にして辿ってみたいと思う．

　まずは本論を整理する意味で，なされている定義を紹介しよう．システム分析はランド研究所で研究され，開発されたもので，代表的なアナリストのクェードは次のように定義している．

> 「適切な目的を体系的に調べ，それを達成するための代替的な政策または戦略に関係する費用，有効度および危険を定量的に比較し，もしあれば，それに追加すべき代替案を作成することによって意思決定者の行動の選択を助ける探求である．」

　このような方法がどのような経緯で生まれることになったのかというと，その発端は 1950 年代に遡る．第二次世界大戦が終了し，核の時代に入ると，新しい兵器システムと戦略との研究が不可欠となってきた．主として空軍によって援助を受ける，空軍のための研究開発を行う研究機関

であったランド研究所では，その頃から国防に関する政策や戦略の研究を始めていた．1954 年には核時代の国防における空軍の主要な任務となる分野を明確にした他，兵器システムは単に軍事的能力だけでなく，より広範な，例えば社会的，政治的，経済的な要素までも考慮した上で選択が行われることを強調するなど，システム分析のあり方とか考え方といった核になるものを芽生えさせている．その後も研究を続け，成果の一つとして PPBS の原型ともなるプログラム予算方式を開発するとともに，1960 年にヒッチとマッキーンが国防予算に経済分析を適用しようとする研究成果を「核時代の国防経済学」と題して発表している．そこにはシステム分析の位置付けやらその役割，内容が明らかにされており，その有効性が広く認識されるようになっていった．明確に書かれていないので分からないが，筆者は，この時点でシステム分析が誕生したと言ってよいのでないかと思う．

　因みにシステム分析と抱き合わせで語られる，前に述べた PPBS との関わりについて言うと，次のようになる．

　1961 年 1 月，ケネディ大統領の要請により，フォード株式会社の社長であったマクナマラが国防省の長官に就任した．その国防省においては資源配分の有効性と効率性を高めるためのマネジメント・システムの開発が重要な問題であった．そんな時にランド研究所のプログラム予算の研究成果を目にしてこれに共鳴し，ヒッチを財務管理官として

迎えることになった．ランド研究所の提案はわずかな修正
を加えられただけで 1961 年（1963 会計年度）から国防予
算に適用されることになり，この新しい予算編成方式が
PPBS と呼ばれているものの始まりとなるのである．この
国防省における PPBS 導入の成功に時の大統領ジョンソ
ンが注目し，1965 年 8 月，PPBS を連邦政府の全省庁に導
入するための指令が公布されることとなった．

　PPBS とは Planning-Programming-Budgeting System の
略称で，「計画策定・プログラム作成・予算編成システム」
と訳されている．つまり，PPBS は図-3 にあるように 3 つ
のプロセス，すなわち，計画策定，プログラム作成および
予算編成からなり，フィードバックしながら予算が詰めら
れていくようになっている．実はシステム分析は，この中
で第 1 段階の計画策定において，代替的なシステム案の中
から最良のシステムを選択するという PPBS のプロセス
において中核的で実質的な役割を果たす重要な地位を占め
ているのである．なお，システムはさまざまな分野ごとに
いくつも選択されるので，第 2 段階のプログラム作成にお
いては，その決定したシステムの全計画を受けてそれぞ
れ，その実現に必要な人，物等の諸資源を年度ごとに割り
付け，第 3 段階の予算編成においては，初年度の活動に必
要な資金を年度の予算として裏付けていくのである．

　その後，PPBS はしばらくは各省庁に広まっていき，適
用され始めたが，さまざまな問題や疑念が提起されたり，
不評も買い，しかし，まったく無くなることはなく，修正

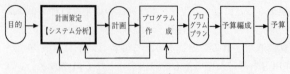

図-3　PPBS のプロセス

されながらも用いられていったようである.

2　先駆的な動き

ところで, はじまりとか誕生などの話につきものと思う
が, すでにその時点以前にそれに近似しているとか, 同様
の活動が行われていたという事例が掘り出されるものであ
る.

システム分析について言えば, アメリカでは 1902 年の
「河川港湾法」という政府の政策決定に, その走りと言える
「費用便益分析」の考え方が初めて明確な形で取り入れら
れたようで, また, 1930 年代および 1940 年代に水資源開
発の分野において, 特に陸軍工兵隊と内務省開拓局の間で
競合的な要求が生じ, その争いの間に費用便益分析が大き
な発展を見せることになったとある.

ここで便益とあるが, これは効果を金額で表現あるいは
金額に換算できるもので測定することを意味しており, そ
れに対し, 効果をプログラムのもたらす目的の達成度を金
額以外の計量的尺度で表す時には「有効度」と表現し, そ
の場合には「費用有効度分析」と称するとのことである.

また, プログラム予算方式については, 1920 年代にデュ

ポン社のゼネラル・モーターズ社に対する投資計画に用いられたものに遡るとされているとあり，そこではPPBSと同様の思考がなされていたとのことである．

3 我が国への導入

システム分析が日本にどのようにして伝わったのか，参考文献［4］の編著者である宮川公男氏が1969年11月に述べられた「はしがき」を辿ると次のようになる．なお，この時の氏の肩書は「経済企画庁経済研究所システム分析調査室長」である．

1967年の秋，経済企画庁では当時の宮澤喜一長官の発案により，個々の経済政策の選択や，政策効果を数量的に評価する方法を検討する研究を開始した．ちょうど，訪米MIS調査団の帰国報告の影響もあってPPBSを量的経済政策確立のための研究の一環として取り上げるべきであるという結論に達した．

そこで1968年4月に経済研究所にシステム分析調査室が設けられ，経済企画庁，大蔵省，通産省，国鉄，日本開発銀行等からスタッフが集められてシステム分析，PPBSといった新分野の研究を進めるためのプロジェクト・チームが作られた．翌年には室員がアメリカに出張し，連邦政府人事院でPPBSに関する研修に参加するとともに，連邦政府の諸機関を訪問して調査にあたり，資料の収集を行った．

その後，1年余りの間に世の中にPPBSに対する関心が

高まっていったようで，中央官庁では大蔵省を中心に各省
庁の連絡会である PPBS 担当官会議が定期的にもたれ，同
時に PPBS，システム分析を研究・担当する組織が各省庁
に置かれ始め，ケース・スタディを通じて具体的な分析能
力の開発に着実な歩を進めていった．他方，民間企業にお
いても PPBS に対する関心は極めて高く，大きな期待が寄
せられていたとのことである．

　参考文献 [5] によれば，防衛庁にも当然，PPBS 導入の
話が持ち込まれ，その準備がなされたが，PPBS は，米国
で提起された問題や疑念と同様の懸念が庁内でも持たれる
ようになり，導入には至らなかったとのことである．
　どうやら，その頃からシステム分析は PPBS から切り離
され，目的達成のための代替案の中から望ましい案を選択
する手法として独立した形で生き残り，一人歩きし始めて
いったようである．

　筆者は 1979 年にシステム分析が用いられる部署に就き，
詳しくは申し上げられないが，中・長期計画の策定に資す
る研究等といった実務に携わり，システム分析を適用した
経験があるが，実にその研究に欠かせない効果的な手法で
あった．
　また，1983 年にはシステム分析を教育する部署に移り，
実務経験を活かして受講生に機種選定等の事例研究を通し
てシステム分析を教えるようになった．その後，システム

分析に優る方法を耳にしておらず，今でも諸施策の立案において多大な貢献をしていると思っている．

　現に，2020.11.23 付けの読売新聞には「防衛省が委託して，地上配備型迎撃システム『イージスアショア』の代替案を巡り，最新型のイージス艦と海上浮上式施設との比較検討がなされている．」と報じられており，問題の定義，シナリオの設定等が適切になされているのか心配がないわけではないが，そこには取得費である建造費とか，30 年程度運用した場合の維持整備等の総額を出すなどといった，まさにシステム分析を適用していることを伺わせる文面があり，システム分析の有用性は衰えていないと確信している次第である．

おわりに

「夫婦喧嘩，勝って亭主メシを炊く」

これは，深読みしないで，夫婦喧嘩に勝つことだけに囚われてしまい，妻に勝ったものの，妻は機嫌を損ねて家を出てしまい，結局は自分でご飯を作るハメになってしまった夫のことを詠んでいる．これは名言で，世の中においては，やはり「広く深く先を読む」ことが大切であるということを暗示していると思っている．

著者は，平成 20 年代に排ガス抑制の妙案として流行りとなったアイドリングストップとか電気自動車について疑念を持っている．確かに，車からの排ガスは抑制されるだろう．しかし，アイドリングストップについて言うと，エンジンのオンオフの回数が増え，そのためにバッテリーに負担がかかってバッテリーが早く傷み，取り替えるようになり，その結果，一つには，バッテリーの生産数が増え，その生産に電気やガス等のエネルギーを必要とするし，さらに廃棄バッテリーの処分も必要であることから，決して地球環境の保護には直接，繋がらないのではないだろうか．電気自動車について言えば，電気は化石燃料からも作られることになり，どうしても排気ガスが出るわけで，その時の化石燃料から電気への変換効率を考えれば，直接，

化石燃料を用いたガソリンエンジンの方が排気ガスは少なくなるのではないだろうか.

　これは「広く深く読む」ことを忘れている弊害ではないかと思っている.

また，原子力の発電コストの話になるが，どうやら，ウランの燃料代だけとか運転費だけを捉えて，水力発電とか火力発電のコストと比較されていたようなのである．読者もご存知のとおり，原子力の発電コストには，膨大な額の経費が何十年にもわたってかかるはずの，使用済み燃料棒の保管費とか廃炉経費まで含まれていなかったようである．それでは原子力の発電コストが安く算定されることになる．確かに，水力発電や火力発電についてもどの範囲まで費用として取り込んでいたのか疑問でもある．と言うのは，例えば，ダム建設の時，水没する家屋等に対する補償費とか，火力発電所の耐用年数経過に伴う建て替え時の廃棄経費等といった費用まで考慮されているのか明らかではないからである．

　この件からは「広く先を読む」ことを忘れている弊害が感じられるのである.

　以上の二つの事柄は，視野が狭くて一部に囚われ，結果を急ぐあまりに皮相的にモノを見て短絡的に判断していることに起因しているのではないだろうか．どうか，空間的に広く，意味深く，時間的に長く先までを考えてほしいのである．

　実は，本書の狙いは，システム分析という技法を知っていただくことはもちろんだが，それを通して，入力があればそれは何からの出力なのか，出力があればそれは何という入力が処理された結果なのか，などと因果関係を

　　・「広く深く先を読む」というシステム思考

に慣れ親しんでもらうことにあるのである．本書が一人でも多くの方にそういったシステム的な思考を身に付けていただくキッカケとなれば幸いである．なお，その主旨により記述内容が簡略的になったことは否めないが，その精粗にこだわることなく，費用効果分析によるシステム分析の本質を汲み取ってほしいと願う次第である．

参考文献

[1] E. S. クェイド，W. I. ブッチァー編，香山健一，公文俊平監訳「システム分析 1・2」竹内書房，1972. 10（原著：E. S. Quade and W. I. Boucher (eds), *System Analysis and Policy Planning — Applications in Defence*, American Elsevier Publishing Company, 1968)

[2] 佐藤允一著「問題の構造学—問題発見と解決の技法」ダイヤモンド社，1977. 12. 1

[3] 齊藤芳正著「はじめてのオペレーションズ・リサーチ」筑摩書房，2020. 3. 10

[4] 宮川公男編著「PPBS の原理と分析」有斐閣，1969. 11. 30

[5] 福島康人寄稿「PPBS の教訓と政策科学への道」日本オペレーションズ・リサーチ学会会誌，1980. 5月号

あとがき

　本書を書き終える頃，2020 年の東京オリンピックの開催に備えて新国立競技場が建設された．内部の施設の配置や構造等は疎か，使い方も定かでないのに，どうやって見積もったのか不思議であったが，予定建設費が早々に提示され，数案の中から木造案に決定した．後になって聞けば，エコを重視して木造が多用されているため，何年か先には膨大な部材の交換が必要であり，かなりの費用がかかるとのこと．他の案よりも建設費が安かったからとの理由で決定されたようだが，維持費を考えなかったのだろうか．それならば，年間費用を比較してみなければ分からないが，当初は高くても維持費が少なくて済む他案を選んだ方がよかったような気がする．まったく，システム分析という素晴しい知見を活かしてくれていることを願うばかりである．

　このような事態は日常茶飯事で，よく見聞きすることから，まだまだシステム分析が活躍すべき場面は多いはずで，その時には軽易に適用されなければならず，そのためにもその知見を広めていくことは喫緊の課題であり，本書がその口火を切ることになれば幸甚の極みである．

　最初にお断りしたとおり，あくまで費用効果分析によるシステム分析の基本的な考え方を知っていただくために例

題は簡単な内容にしたが，実際の問題は，とても大きく，かつ，複雑で，きっと，摑みどころがないと思う．問題の範囲を限定したり，要点を摑んで単純化して分析することが肝要と思う．

　防大本科学生の時にオペレーションズ・リサーチ（OR）とシステム分析という学問があることを知り，爾来，なぜかこれらに惹かれ，防大の研究科で勉強し，任官後，約10年にわたり，その実務と教育に携わった．その経験を活かして両学問を何とか分かりやすく，また，適用しやすいように社会に広められないものかと考え，その努力の甲斐あって，オペレーションズ・リサーチについては2003年に『はじめてのOR』と題して出版することができた．さらに，幸運にも17年後にちくま学芸文庫から『はじめてのオペレーションズ・リサーチ』と改題して再出版させていただいた．

　実は，システム分析についても出版を考えており，『はじめてのOR』の出版直後から構想を練り始め，原稿を書き続け，やっとその再出版の頃にまとまって推敲を重ねていた．これもちくま学芸文庫の一冊に加えていただけないだろうかと愚考し，ダメ元で渡辺英明氏にお頼みしたところ，検討してみましょうとの有り難いお言葉をいただき，出版にいたった次第である．

　本書で述べたとおり，システム分析とは，何をなすべきか，つまり，What to do を案出するという技法であって，

片や，これとよく混同される OR が，なすべき事をいかに上手くなすべきか，つまり，How to do を案出する技法ということから，この2大技法の両者の関係は，戦略と戦術の間柄とも言われている．この2大技法について出版することを想い立ってから30年余りを経て，どうにか，小生のライフワークを完結することができた．深謝申し上げる．

本書は「ちくま学芸文庫」のために新たに書き下ろされたものである（図表、カット著者作成）。

複素解析　　　　　　　　　　笠原乾吉

「神が作った」とも言われる基本事項から楕円関数の話題まで。微積分に関する基本事項から楕円関数の話題まで。そこには単純に見えて底知れぬ深い世界が広がっている。互除法、合同式からイデアルまで。定評ある入門書。（野崎昭弘）

初等整数論入門　　　　　　　　銀　林　浩

7!64は3で割り切れる。それを見分ける簡単な方法が古来からあるという。数の話に始まる物語ふうの小学校高学年むけの世評高い算数学習書。（板倉聖宣）

算数の先生　　　　　　　　国元東九郎

「神が作った」とも言われる美しい数の世界とは。複素数が織りなす、調和に満ちた美しい数の世界とは。微積分に関する基本事項から楕円関数の話題まで。定評ある入門書。（野崎昭弘）

新しい自然学　　　　　　　　蔵本由紀

科学的知のいびつさが様々な状況で露呈する現代。非線形科学の泰斗が従来の科学観を相対化し、全く新しい世界の見方を提唱する。文庫オリジナル。（中村桂子）

ゲーテ地質学論集・鉱物篇　　　ゲーテ　　　　　　　　　　木村直司編訳

地球の生成と形成を探って岩山をよじ登り洞窟を降りする詩人。鉱物・地質学的な考察や紀行から、新たなゲーテ像が浮かび上がる。

座標は幾何と代数の世界をつなぐ重要な概念。数直線のおさおい四次元の座標概念や、世界的数学者が丁寧に解説する。訳し下ろしの入門書。

数学でも「大づかみに理解する」ことは大事。グラフ化=可視化は、関数の振る舞いをマクロに捉える強力なツールだ。世界的数学者による入門書。

著者は「現代のユークリッド」とも称される20世紀最大の幾何学者。古典幾何のあらゆる話題が詰まった、辞典級の充実度を誇る入門書。

和算書「算法少女」を読む　　　小寺　裕

娘あきが挑戦していた和算とは？　歴史小説「算法少女」のもとになった和算書の全問をていねいに読み解く。遠藤寛子のエッセイを付す。（土倉保）

位相群上の積分とその応用
アンドレ・ヴェイユ 齋藤正彦訳
ハールによる「群上の不変測度」の発見、およびその後の諸結果を受け、より統一的にハール測度を論じた画期的著作。本邦初訳。（平井武）

シュタイナー学校の数学読本
ベングト・ウリーン 丹羽敏雄/森章吾訳
中学・高校の数学がこうだったなら！フィボナッチ数列、球面幾何など興味深い教材で展開する授業十二例。新しい角度からの数学再入門でもある。（芳沢光雄）

問題をどう解くか
ウェイン・A・ウィケルグレン 矢野健太郎訳
初等数学やパズルの具体的な問題を解きながら、解決に役立つ基礎概念を紹介。方法論を体系的に学ぶことのできる貴重な入門書。

原論文で学ぶ アインシュタインの相対性理論
唐木田健一
ベクトルや微分など数学の予備知識も解説しつつ、一九〇五年発表のアインシュタインの原論文を丁寧に読み解く。初学者のための相対性理論入門。

算法少女
遠藤寛子
父から和算を学ぶ町娘あきは、算額に誤りを見つけ声を上げた。と、若侍が……。定評の少年少女向け歴史小説。箕田源二郎・絵

医学概論
川喜田愛郎
医学の歴史、ヒトの体と病気のしくみを概説。現代医療で見過ごされがちな「病人の存在」を見据えつつ、「医学とは何か」を考える。（酒井忠昭）

ガウス 数論論文集
ガウス 高瀬正仁訳
成熟した果実のみを提示したと評されるガウス。しかし原典からは考察の息づかいが読み取れる。4次剰余理論など公表すべてを収録した5篇を収録。本邦初訳。

初等数学史（上）
フロリアン・カジョリ 小倉金之助補訳 中村滋校訂
厖大かつ精緻な文献調査の著作。古代エジプト・バビロニアからギリシャ・インド・アラビアへいたる歴史を概観する。図版多数。

初等数学史（下）
フロリアン・カジョリ 小倉金之助補訳 中村滋校訂
商業や技術の一環としても発達した数学。下巻は対数・小数の発明、記号代数学の発展、非ユークリッド幾何学など。文庫化にあたり全面的に校訂。

IT社会の根幹をなす情報理論はここから始まった。今なお根源的な洞察をもたらす最先端の分野に、いまだお根源的な論文が新訳で復刊。

ひとつの学問として、広がり、深まりゆく数学。数・微積分・無限など「概念」の誕生と発展を軸にその歩みを辿る。オリジナル書き下ろし。全3巻。

第2巻では19世紀の数学を展望。数概念の拡張によりもたらされた複素解析のほか、フーリエ解析・非ユークリッド幾何誕生の過程を追う。

19世紀後半、「無限」概念の登場とともに数学は大転換を迎える。カントルとハウスドルフの集合論、そしてユダヤ人数学者の寄与について。全3巻完結。

「多様体」は今や現代数学必須の概念。「位相」「微分」などの基礎概念を丁寧に解説・図説しながら、多様体のもつ深い意味を探ってゆく。

現代的な視点から、リー群を初めて大局的に論じた古典的著作。著者の導いた諸定理はいまなお有用性を失わない。　　　　　　　　　　　　（平井武）

現代数学は怖くない！「集合」「関数」「確率」などの基本概念をイメージ豊かに解説。直観で現代数学の全体を見渡せる入門書。図版多数。

数学者になるってどういうこと？　現役で活躍する研究者になる心得や、数学との付き合い方から「してはいけないこと」まで。　　　（砂田利一）

なぜ金属製の重い機体が自由に空を飛べるのか？その工学と技術を、リリエンタール、ライト兄弟などのエピソードをまじえ歴史的にひもとく。

自然や社会を解析するための、「活きた微積分」のセンスを磨く！ 差分・微分方程式までを丁寧にカバーした入門者向け学習書。

確率論に決定的な影響を与えた『確率論の基礎概念』に加え、有名な論文「確率論における解析的方法について」を併録。全篇新訳。
（笠原晧司）

雪が降るとき、空ではどんなことが起きているのだろう。自然が作りだす美しいミクロの世界を、科学の目でのぞいてみよう。
（菊池誠）

熱・光・音の伝播から量子論まで、振動・波動にもとづく物理現象とフーリエ変換の関わりを丁寧に解説。物理学の泰斗による名教科書。
（千葉逸人）

最大の謎、決闘の理由がついに明かされる！ 難解なガロワの数学思想をひもといた後世の数学者たちにも迫った、文庫版オリジナル書き下ろし。

相対性理論から浮かび上がる宇宙の「穴」。星と時空の謎に挑んだ物理学者たちの奮闘の歴史と今日的課題に迫る。写真・図版多数。

問題を最も効率よく解決するための科学的意思決定の手法。当初は軍事作戦計画として創案されたが、現在では経営科学等多くの分野で用いられている。

「何でも厳密に」などとは考えてはいけない――。世界的数学者が教える「使える」数学とは。文庫版オリジナル書き下ろし。

日米両国で長年教えてきた著者が日本の教育を斬る！ 掛け算の順序問題、悪い証明と間違えやすい公式のことから外国語の教え方まで。

「ものの集まり」という素朴な概念が生んだ奇妙な世界、集合論。部分集合・空集合などの基礎から、丁寧な叙述で連続体や順序数の深みへと誘う。

ラプラス流の古典確率論とボレル‐コルモゴロフ流の現代確率論。両者の関係性を意識しつつ、確率の基礎概念と数理を多数の例とともに丁寧に解説。

ユークリッドの平面幾何を公理的に再構成するには？　現代数学の考え方に触れつつ、幾何学が持つ面白さも体感できるよう初学者への配慮溢れる一冊。

初学者には抽象的でとっつきにくい〈現代数学〉。「集合」「写像とグラフ」「群論」「数学的構造」といった基本的概念を手掛りに概説した入門書。

諸科学や諸技術の根幹を担う数学、また「論理的・体系的な思考」を培う数学。この数学とは何ものなのか？　数学の思想と文化を究明する入門概説。（瀬山士郎）

微積分の考え方は、日常生活のなかから自然に出てくるものだ。∫や lim の記号を使わず、具体例に沿って説明した定評ある入門書。

算術は現代でいう数論。数の自明を疑わない明治の読者にその基礎を当時の最新学説で説く。「解析概論」の著者若き日の意欲作。（高瀬正仁）

大数学者が軽妙洒脱に学生たちに数学を語る！　60年ぶりに復刊された人柄のにじむ幻の同名エッセイ集を含む文庫オリジナル。（高瀬正仁）

青年ガウスは目覚めとともに正十七角形の作図法を思いついた。初等幾何に露頭した数論の一端！　創造の世界の不思議に迫る原典講読第2弾。

実験・観察にすぐれたファラデー、電磁気学にまとめたマクスウェル、ほかにクーロンやオームなど科学者十二人の列伝を通して電気の歴史をひもとく。

大学、学会、企業、国家などと関わりながら「制度化」の約五百年の歩みを進めて来た西洋科学。現代に至るまでの歴史を概観した定番の入門書。

円周率だけでなく意外なところに顔をだすπ。ユークリッドやアルキメデスによる探究の歴史に始まり、オイラーの発見したπの不思議にいたる。

微積分の基本概念・計算法を全盲の数学者がイメージ豊かに解説。版を重ねて読み継がれる定番の入門教科書。練習問題・解答付きで独習にも最適。

「フラクタルの父」マンデルブロの主著。膨大な資料を基に、地理・天文・生物などあらゆる分野から事例を収集・報告したフラクタル研究の金字塔。

「自己相似」が織りなす複雑で美しい構造とは。その数理とフラクタル発見までの歴史を豊富な図版とともに紹介。

集合をめぐるパラドックス、ゲーデルの不完全性定理からファジー論理、P＝NP問題などのより現代的な話題まで。大家による入門書。（田中一之）

『集合・位相入門』などの名教科書で知られる著者による、懇切丁寧な入門書。組合せ論・初等数論を中心に、現代数学の一端に触れる。（荒井秀男）

自然現象や経済活動に頻繁に登場する超越数e。この数の出自と発展の歴史を描いた一冊。ニュートン、オイラー、ベルヌーイ等のエピソードも満載。

理工系大学生必須の線型代数を、その生態のイメージと意味のセンスを大事にしつつ、基礎的な概念をひとつひとつユーモアを交え丁寧に説明する。

一刀斎の案内で数の世界を気ままに歩き、勝手に遊ぶ数学エッセイ。「微積分の七不思議」「数学の大いなる流れ」他三篇を増補。

「数学のノーベル賞」とも称されるフィールズ賞。その誕生の歴史、および第一回から二〇〇六年までの歴代受賞者の業績を概説。
　　　　　　　　　　　　　　　　（亀井哲治郎）

レヴィ゠ストロースと群論？　ニーチェやオルテガの遠近法主義、ヘーゲルと解析学、孟子と関数概念……。数学的アプローチによる比較思想史。

熱の正体は？　その物理的特質とは？　『磁力と重力の発見』の著者による壮大な科学史。　熱力学入門書としての評価も高い。全面改稿。

熱力学はカルノーの一篇の論文に始まり骨格が完成していた。熱素説に立ちつつも、時代に半世紀も先行していた。理論のヒントは水車だったのか？

隠された因子、エントロピーがついにその姿を現わす。そして重要な概念が加速的に連結し熱力学が体系化される。格好の入門篇。全3巻完結。

《重力》理論完成までの思想的格闘の跡を丹念に辿り、先人の思考の核心に肉薄する壮大な力学史。上巻は、ケプラーからオイラーまでを収録。

西欧近代において、古典力学はいかなる世界を発見し、いかなる世界像を作り出し、そして何を切り捨ててきたのか。歴史形象としての古典力学。

コンピュータ、量子論、ゲーム理論など数多くの分野で絶大な貢献を果たした巨人の足跡を辿り、「一人類最高の知性」に迫る。ノイマン評伝の決定版。

オイラー、モンジュ、フーリエ、コーシーらは数学者であり、同時に工学の課題に方策を授けていた。「ものづくりの科学」の歴史をひもとく。

偏微分方程式などへの応用をもつ関数解析。バナッハ空間理論からベクトル値関数、半群の話題まで、この基礎理論を過不足なく丁寧に解説。　（新井仁之）

平面、球面、歪んだ空間、そして……。幾何学的世界像は今なお変化し続ける。『スタートレック』の脚本家が誘う三千年のタイムトラベルへようこそ。

科学の魅力とは何か？　創造とは死とは？　老境を迎えた大物理学者との会話を、そして死に書かれた、珠玉のノンフィクション。　（山本貴光）

現代生物学では何が問題になるのか。20世紀生物学に多大な影響を与えた大家が、複雑な生命現象を理解するためのキー・ポイントを易しく解説。

おなじみ一刀斎の秘伝公開！　極限と連続に始まり、指数関数と三角関数を経て、偏微分方程式に至る。見晴らしのきく、読み切り22講義。

1次元線形代数学から多次元へ、1変数の微積分から多変数へ。応用面と異なる、教育的重要性を軸に展開するユニークなベクトル解析のココロ。

数楽的センスの大饗宴！　読み巧者の数学者と数学ファンの画家が、とめどなく繰り広げる興趣つきぬ数学談義。
　　　　　　　　　　（河合雅雄・亀井哲治郎）

非相対論的量子力学の理論から相対論までを、簡潔で美しい理論構成で登る入門教科書。大教程2巻を収録。(江沢洋)

相対性理論の着想の源泉となった、リーマンの記念碑的講演。ヘルマン・ワイルの格調高い序文・解説とミンコフスキーの論文「空間と時間」を収録。

ゴルフのボールのバックスピンは芝の状態に無関係、昆虫の羽ばたき、コマの不思議、流れ模様など多彩な話題の科学エッセイ。(呉智英)

高熱水蒸気の威力、魚が銀色に輝くしくみ、コマが起ちあがる力学。身近な現象にひそむ意外な「物の理」を探求するエッセイ。(米沢富美子)

上りは階段・下りは坂道の楽という意外な発見、模型飛行機のゴムのこぶの正体などの話題から、物理学者ならではの含蓄の哲学まで。(下村裕)

クリップで蚊取線香の火が消し止められる? バイオリンの弦の動きを可視化する顕微鏡とは? バイ噛みごたえのある物理エッセイ。(鈴木増雄)

ビッグバン宇宙論の謎にワインバーグが挑む! 開闢から間もない宇宙の姿を一般の読者に向けて明快に説明する科学読み物の古典。解題＝佐藤文隆

数学・物理・哲学に通暁し深遠な思索を展開したワイル。約四十年にわたる歩みを講演ならではの読みやすい文章で辿る。年代順に九篇収録、本邦初訳。

時の流れを知るとはどういうこと? 「エントロピー」「因果律」「パターン認識」などを手掛かりに、知覚の謎に迫る科学哲学入門。(村上陽一郎)

ちくま学芸文庫

システム分析入門（しすてむぶんせきにゅうもん）

二〇二一年六月十日　第一刷発行

著　者　齊藤芳正（さいとう・よしまさ）

発行者　喜入冬子

発行所　株式会社　筑摩書房
　　　　東京都台東区蔵前二―五―三　〒一一一―八七五五
　　　　電話番号　〇三―五六八七―二六〇一（代表）

装幀者　安野光雅

印刷所　株式会社精興社

製本所　加藤製本株式会社

© YOSHIMASA SAITO 2021　Printed in Japan
ISBN978-4-480-51061-7 C0104